Tout détacher

Tout détacher

Claudine Wayser

Éditions du Rocher

Remerciements
L'auteur tient à remercier les entreprises, les designers et les
photographes qui ont contribué à l'illustration de ce livre.

Crédits iconographiques :
Daniel Ribière, TEXGUARD, pages 2, 10, 12, 18 ;
Daniel Ribière, PROTECTGUARD, page 46 ;
Daniel Ribière, MARWAY, pages 59, 65, 71, 85 ;
Daniel Ribière, MARWAY, design Maxime d'Angeac, page 67 ;
EMAUX DE BRIARE, pages 43, 82 ;
TOULMONDE-BOCHART, design Hilton Mc Connico, page, 53 ;
Philippe Saharoff, pages 56, 86 ;
Claudine Wayser, pages 61, 68 ;
Daniel Ribière, pages 17, 19, 24, 28, 32, 33, 48, 74, 75, 78, 93.

ISBN : 2 268 024458
CNE section commerce et industrie Monaco : 19023

RÉALISATION ET PRODUCTION : ARCHIPEL CONCEPT, PARIS - GRIGNAN
CONCEPTION GRAPHIQUE ET MISE EN PAGE : RONAN GUENNOU
SECRÉTARIAT D'ÉDITION : IRÈNE NOUAILHAC

Introduction

du café renversé sur un canapé en cuir, du vin sur la moquette, du sang sur du bois, de l'encre sur des rideaux, de la sauce sur une cravate ou de la bougie sur du marbre et l'on ne sait que faire.

Doit-on attendre ? se précipiter ? frotter cette tache ? Et avec quoi ? Quel détachant choisir : du sel ? de l'alcool ? du savon ? de l'eau ? chaude ou froide ?…

Il y a toujours autour de nous quelqu'un qui détient une bonne recette, un truc imparable pour éliminer une tache. Mais cette recette est-elle vraiment la bonne ? La tache ne va-t-elle pas s'incruster et laisser à jamais une auréole ?

On ne détache pas du lin comme du polyester, de l'acajou comme du teck, du cuir comme du daim ou de la laine comme du sisal, c'est évident…

Ce livre a pour objectif de vous apprendre à reconnaître les différents bois, textiles ou cuirs.

Certains détachants s'attaquent essentiellement aux souillures grasses, d'autres stoppent l'action colorante des taches. Ce livre a pour objectif de faire le point sur tous les détachants.
Et comme il ne faut jamais détacher un revêtement poussiéreux, ce livre traite également de l'entretien.

Mais tout d'abord un conseil ! Commencez la lecture de ce livre par le chapitre 1 : « les 12 règles d'or du détachage », et utilisez l'index (pages 6 à 9) pour trouver tout type de taches sur tout type de supports.

Ainsi vous serez mieux armé pour combattre ces mille et une taches qui risquent à tout moment de s'abattre sur votre maison.

Index

1

Les 12 règles d'or du détachage

- 1 - **Traitez vos tentures murales, sièges, moquettes et tapis avec un produit anti-taches**. Hydro-oléofuge, il protégera le cuir, la pierre ou les textiles des taches et des salissures.

- 2 - Pour éviter de voir apparaître une large traînée rebelle à tout produit détachant, **n'essayez pas de détacher des revêtements sales ou poussiéreux**. Brossez-les ou passez dessus l'aspirateur avant toute opération.

- 3 - **Ne vous attaquez qu'aux taches et aux matériaux dont vous connaissez l'origine.**

- 4 - **Intervenez le plus rapidement possible** et sans affolement : plus la tache est ancienne, plus il est difficile de l'éliminer. Le plus souvent, un chiffon imbibé d'eau minérale suffit pour éliminer une tache venant d'être faite sur un revêtement traité anti-taches.

- 5 - Un accident est si vite arrivé! **Protégez tout élément décoratif proche de la tache.**

- 6 - Avant de vous attaquer à une tache, **vérifiez que le produit utilisé ne modifiera pas l'aspect du support en faisant un essai sur une zone non visible.**

- 7 - **Ne frottez jamais une tache liquide.** Absorbez-la d'abord avec soin, sans l'étaler, à l'aide d'une éponge, de papier absorbant ou d'un chiffon propre.

- 8 - **Si la tache est épaisse, pâteuse ou solide, ôtez délicatement l'excédent à l'aide d'une spatule ou d'une cuiller, puis imbibez la trace restante avec de l'eau ou du détachant.** Évitez d'utiliser un couteau. Une lame tranchante pourrait dangereusement endommager les fibres d'une moquette ou le bois d'une commode.

- 9 - Ne versez pas de détachant sur la tache mais sur un chiffon propre. **Seuls les produits en poudre et les aérosols s'appliquent directement sur le support.**

- 10 - **Imbibez la tache par tamponnement circulaire, en opérant toujours de l'extérieur vers l'intérieur.**

- 11 - **La tache disparue, rincez puis épongez toujours soigneusement le support afin d'éliminer le produit détachant.**

- 12 - **Ne frottez jamais une tache avec de l'eau chaude ou du sel** : ils fixent les taches à jamais.

ATTENTION

• Après n'importe quel détachage, le traitement anti-taches risque d'avoir perdu son effet. Il est prudent d'appliquer à nouveau du produit sur le revêtement.

2
Le B.A. BA
du détachage

Les taches, les tissus et les étiquettes

RECONNAÎTRE LE TYPE DE TACHE

Les grasses : ce sont les taches de beurre, d'huile, de cambouis ou d'essence.

Les oxydables : ce sont les taches de vin, de thé ou de café.

Les chimiques : ce sont les taches d'encre, de mercurochrome, de teinture d'iode ou de teinture pour cheveux.

Les enzymatiques : ce sont les taches de sang, d'herbes, de chocolat ou d'œuf.

Les métalliques : ce sont les taches de rouille ou de vert-de-gris.

Les grasses colorées : ce sont les taches de rouge à lèvres, de maquillage ou de cirage.

Si vous devez détacher un support sans savoir à quel groupe appartient la tache, il vous est possible de les identifier en sachant :

• qu'une **tache noire ou marron épaisse** risque d'être une tache de sang, de chocolat, de cambouis ou de cirage.

• qu'une **tache noire ou marron non épaisse** a de grandes chances d'être une tache de café, de rouille ou d'encre.

• qu'une **tache blanchâtre** est une tache de sucre, de cire ou de poudre.

• qu'une **tache rouge non collante et aux contours nets** est certainement une tache de rouge à lèvres, de vin, d'encre ou de fruits.

• qu'une **tache verte non collante et aux contours nets** est une tache d'herbe, d'encre ou de fruit.

ATTENTION
• Mais certaines taches anciennes de rouge à lèvres, de cirage, d'encre ou de peintures sèches risquent d'être indélébiles.

TOUT SAVOIR SUR LES TISSUS

Tous les tissus n'ont pas la même sensibilité aux taches : les fibres naturelles, par exemple, se détachent plus difficilement que les fibres synthétiques.

Tous les tissus n'ont pas la même sensibilité aux détachants : par exemple le trichloréthylène est à proscrire sur la viscose, l'eau de Javel est désastreuse sur la soie et l'eau fait des ravages sur les velours en fibres acryliques, modracryliques et chlorofibres. Il est donc primordial de savoir identifier un tissu.

Les fibres naturelles : coton, laines et soie

Le coton provient des graines du cotonnier. Résistant, il est d'un entretien facile. On peut le laver à 90°.

Le lin provient du liber de lin. D'un toucher lisse, résistant, il est certainement un des tissus les plus agréables à porter. Il se froisse très vite mais se repasse facilement.

La laine provient de la toison du mouton, **le cachemire et le mohair** de la chèvre, **l'alpaga et la vigogne** du lama, et **l'angora** du lapin. D'un bon pouvoir isolant, résistante, élastique et souple, la laine absorbe bien l'humidité et est peu froissable. Elle ne supporte pas le chlore et la soude. Elle doit être repassée à faible température, sous peine de la voir se feutrer – et le feutrage est irréversible. Il faut éviter de trop l'agiter ou de la frotter en milieu humide.

La soie provient exclusivement des insectes séricigènes. D'un grand pouvoir isolant, très douce au toucher, elle se lave à moins de 40° et se repasse à faible température. Ce textile ne supporte ni la lumière, ni l'eau de Javel, ni le trichloréthylène, et encore moins le séchage en machine.

Les fibres artificielles : viscose, acétate et triacétate

La viscose (rayonne ou fibranne) souple, absorbante et antistatique, est fabriquée à partir de la cellulose extraite de végétaux puis régénérée. Brillante comme la soie, à peine plus fragile que le coton, elle a tendance à rétrécir et à se froisser. Excepté le trichloréthylène, tous les solvants peuvent détacher la viscose. Très fragilisée à l'état mouillé, on doit la laver à moins de 40° en machine, sans essorage, et la repasser à température modérée.

L'acétate, dont le nom commercial est le dicel, a un aspect soyeux agréable au toucher. C'est un tissu bon marché et d'une assez bonne résistance. L'acétate, comme le triacétate, se lave à la main, sèche rapidement et se repasse à l'envers, à la température la plus douce. Cette fibre craint la Javel, l'acétone, l'ammoniaque et le trichloréthylène. Seul le perchloréthylène est autorisé.

Les fibres synthétiques : acrylique, chlorfibres, polyamides, polyesters et élastofibres

L'acrylique (courtelle-crylor-dralon-orlon) a tendance à « boulocher » et à produire de l'électricité statique. Cependant, il est résistant et doux au toucher. Ce tissu se lave à la main (30°) et en douceur, sans être tordu ni essoré. Le nettoyage au perchloréthylène est recommandé, mais à faible dose car l'acrylique craint les produits à base de chlore.

Les chlorfibres (Rhovyl) détestent l'eau et la chaleur. Il vaut mieux éviter de mouiller et de repasser ces fibres douces.

- Les polyamides (nylon, rilsan) sont des fibres légères et résistances, fraîches au toucher et d'une bonne auto-défroissabilité à froid. D'un entretien facile, ces tissus se lavent à 30° en général, 50° au maximum, et ne supportent ni les acides, ni l'eau de Javel.

Le polyester (tergal, dacron) est résistant et d'un toucher un peu rêche, mais il a l'avantage de se défroisser à l'air. On peut le laver en machine jusqu'à 60° et le nettoyer, à très faible dose et avec d'infinies précautions, avec des solvants ou de l'eau de Javel.

L'élastofibre (lycra), caoutchouc synthétique, a une bonne tenue et évidemment une bonne élasticité. On peut le laver en machine.

Le séchage en tambour est toléré. Le repassage et le nettoyage à sec sont à proscrire.

Le velours

La panne de velours est un velours à poils très couchés.

Le velours-peluche est un velours à poils très longs et très relevés.

Le velours ciselé est un velours dont le poil est rasé suivant certaines formes rappelant les dessins des damas ou des brocatelles. Souvent rouge, se détachant sur fond clair, taffetas ou satin, il est employé dans les velours de laine ou de poil mohair.

Le velours côtelé, appelé également velours de travail, est un velours de coton caractérisé par la disposition des fils de trame formant le plancher et la côte.

Le velours de coton, tissé pour la première fois à Manchester, est un velours à trame de coton.

Le velours façonné a un dessin formé à la fois par des boucles coupées et non coupées.

Le velours frappé a subi l'opération de frappage : le dessin couche le poil dans les parties gravées.

Le velours frisé est un velours épinglé ; ses boucles ne sont pas coupées.

Le velours gaufré ou pressé est un velours uni, dont la décoration est imprimée.

Le velours de Gènes présente des parties épinglées et des parties coupées.

Le velours jacquard est réalisé sur un métier jacquard.

Le velours moiré présente un aspect moiré.

Le velours à ramages est un velours dont les dessins ressortent sur un fond en fils d'or et d'argent.

RECONNAÎTRE UN TISSU SANS ÉTIQUETTE

Depuis 1974, en France, tout vêtement doit obligatoirement porter une étiquette précisant la composition du tissu et les conditions de son entretien.

Mais si par malheur cette étiquette avait été arrachée ou perdue, vous pouvez toujours tenter d'identifier le tissu en prélevant un fil, par exemple dans un ourlet, en sachant que :

Le fil de laine est naturellement ondulé, résistant, élastique et souple. De plus, il brûle lentement, en grésillant.

Le fil de coton est résistant et sec. Il brûle rapidement en laissant un filet de cendre.

Le fil de soie moins résistant que le coton. Il est brillant et d'une grande finesse. Il brûle lentement en dégageant une odeur de corne brûlée.

Le fil de Rhovyl (chlorofibre) se rétracte en brûlant.

Le fil de rayonne ou de fibranne (viscose) est brillant comme la soie mais brûle plus rapidement en dégageant une odeur de papier brûlé.

Le fil d'acétate est brillant et d'une section irrégulière. Il fond en formant une petite boule noire.

Le fil de rislan (polyamide) de section ronde il fond en formant une boule qui dégage une odeur de suif.

Le fil de nylon (polyamide) fond en formant une boule dure dégageant une vague odeur de céleri.

SAVOIR DÉCODER UNE ÉTIQUETTE

Le lavage

 Lavage à la main seulement (température de 40° maximum).

Lavage interdit.

Lavage recommandé à 95° linge résistant

Action mécanique, rinçage et essorage normaux.

Action mécanique réduite, rinçage à température décroissante, essorage réduit.

Lavage recommandé à 60°

Action mécanique, rinçage et essorage normaux.

Action mécanique réduite, rinçage à température décroissante, essorage réduit.

Lavage recommandé à 50°

Action mécanique réduite, rinçage à température décroissante, essorage réduit.

Lavage recommandé à 40°

Action mécanique, rinçage et essorage normaux.

Action mécanique réduite, rinçage à température décroissante, essorage réduit.

Action mécanique très réduite, rinçage et essorage normaux.

Lavage recommandé à 30°

Action mécanique très réduite, rinçage normal, essorage réduit.

Le chlorage

 Traitement à l'eau de Javel, chlorage dilué et à froid.

Chlorage interdit.

Le séchage en tambour

Séchage en tambour autorisé sans restrictions de température.

Séchage en tambour autorisé à température modérée.

Séchage en tambour interdit.

Le repassage

 Température forte (200°).

 Température moyenne (150°).

 Température faible (110°) : laine.

 Repassage interdit.

Le nettoyage à sec

(A) Tous les solvants courants de nettoyage à sec sont autorisés, y compris le trichloréthylène et le perchloréthylène.

(F) Seuls sont autorisés les solvants fluorés et les essences minérales. Nettoyage en libre-service possible.

(F) L'addition d'eau aux solvants et les sollicitations mécaniques sont déconseillées. Nettoyage en libre-service interdit.

(P) Tous les solvants courants du nettoyage à sec sont autorisés sauf le trichloréthylène.

(P) Tous les solvants sont autorisés sauf le trichloréthylène. L'addition d'eau aux solvants et les sollicitations mécaniques sont déconseillées. Nettoyage en libre-service est interdit.

(⊗) Nettoyage à sec interdit. Attention au détachage.

(Sigles internationaux déposés Ginetex/Cofreet utilisés par tous les fabricants de textiles et de vêtements européens).

3

Les antitaches et les détachants

Les traitements anti-taches et les produits détachants

LES ANTI-TACHES :
des imperméabilisants aux hydro-oléofuges

En 1886, grâce au fluor, le Français Moissan découvre l'imperméabilisation. Depuis, de nombreuses firmes se sont intéressées à ce procédé, entre autres comme agent de protection contre les taches et les salissures sur les cuirs, les textiles et les papiers.
Aujourd'hui à base de résine fluorée, les anti-taches nouvelle génération sont également des hydro-oléofuges, c'est-à-dire qu'ils protègent non seulement les cuirs, tissus, moquettes ou tapis des taches à base d'eau, mais également des taches graisseuses. Inodores et invisibles, ils agissent au plus profond de la trame sans altérer ni modifier l'aspect du support, et sans attaquer le bois, les métaux ou la peau.
Le support ainsi protégé, en surface comme dans son épaisseur, présente une résistance exceptionnelle aux frottements. Son entretien est plus facile et plus rapide. Taches, souillures et poussières disparaissent au nettoyage sans laisser d'auréole.
Les produits anti-taches s'appliquent soit en usine, soit par des professionnels à l'aide d'une pompe à pression, soit par des particuliers grâce à un pulvérisateur : il suffit de vaporiser de façon régulière le produit sur le support. Une seule pulvérisation suffit. Un produit anti-taches s'applique uniquement sur une surface neuve ou propre.
Le temps de séchage est de 2 à 4 heures à température ambiante.

Un pulvérisateur manuel d'anti-taches du type TexGuard permet de traiter un canapé 2 places, ou 10 m2 de tissu ou de cuir, ou encore 6 à 8 m2 de moquettes... et une cravate.
Un tissu traité TexGuard obtient pour résultat 100 % d'hydrophobie, correspondant à la norme 100 (ISO 5), c'est-à-dire 5 sur la graduation en oléofuge qui va de 0 à 8. (Pour en savoir plus sur le traitement anti-taches et les services TexGuard, appelez au 08 36 68 68 20.)

LES DÉTACHANTS

On en dénombre sept. Ce sont les végétaux, les minéraux, les détergents, les saponifiants, les colorants, les neutralisants et les solvants.

Les végétaux

Ils boivent les souillures liquides. Ce sont les serpillières, les chiffons, les peaux de chamois, les papiers absorbants, le coton et les éponges (naturelles, végétales ou synthétiques).

On utilisera de préférence un chiffon de laine sur du bois ciré, un chiffon de soie sur du bois vernis, et un chiffon de coton sur des surfaces peintes et lisses.

Les minéraux

Produits solides, ils agissent un peu comme une pompe en absorbant les taches.

Le talc, la terre de Sommières, la poudre Textienne et l'amidon seront utilisés comme produits détachants pour éviter les auréoles. Le talc (silicate de magnésium) est un abrasif doux, et la terre de Sommières, fine poudre d'argile que l'on trouve en droguerie, a un fort pouvoir absorbant.

Le blanc d'Espagne (carbonate de calcium) élimine parfaitement les taches grasses, aussi bien sur les vêtements et les tapis que le papier peint ou le plâtre. Particulièrement absorbant, il détache également les métaux et les vitres.

La farine et la fécule de pomme de terre peuvent nettoyer les fourrures et les lainages blancs.

La sciure de bois absorbe la boue, les graisses ou l'eau sur du carrelage ou du ciment.

Les détergents

Émulsions composées de plusieurs substances, les détergents décollent les salissures dans l'eau en les mettant en suspension. Ils sont particulièrement efficaces sur les souillures grasses.

Ce sont **les sels alcalins** (silicates, borates, carbonates, phosphates), **les argiles** (bentonite, kaolin) et **les saponites** (dérivées des plantes).

Le savon est efficace dans l'eau chaude ou froide sous forme de paillettes, de pain de toilette ou de poudre.

Le savon de Marseille, utilisé sec, fait des merveilles sur les taches grasses. On l'applique sur la tache, on laisse agir quelques heures, puis on rince. Résultats garantis !

Les détergents de synthèse entrent quant à eux dans la composition des poudres à laver.

Les saponifiants

Le savon et les cristaux de soude agissent essentiellement sur les souillures grasses. Les cristaux de soude (carbonate de sodium), que l'on trouve en droguerie, sont très performants pour nettoyer le marbre des cheminées et déboucher les éviers. Les cristaux de soude sont des poisons violents qu'il faut tenir hors de portée des enfants et toujours utiliser dilués.

Les décolorants

Ils sont à manier avec précaution car s'ils détruisent les taches, ils risquent aussi de décolorer certains tissus.

Les oxydants

L'eau de Javel est une solution aqueuse d'hypochlorite et de chlorure de sodium, pure ou diluée, désinfecte et blanchit le linge, les carrelages, le bois blanc et les appareils sanitaires.

Elle est à proscrire sur les sols plastiques, l'aluminium, l'argent, la soie et la laine.

L'eau de Javel fut découverte au XVIIIᵉ siècle : observant le travail des lavandières qui faisaient blanchir leur linge au soleil à Javel, le chimiste Bertholet eut l'idée de reproduire artificiellement l'action de l'oxygène de l'air. Un siècle plus tard, le pharmacien Labarraque découvrait les propriétés désinfectantes de l'eau de Javel. À la fin du XIXᵉ, rue de la Croix-Nivert à Paris, deux ingénieurs producteurs la fabriquèrent industriellement. Ils la baptisèrent La Croix.

ATTENTION

• **Il ne faut jamais mélanger l'eau de Javel avec d'autres produits, en particulier à base de chlore.**

• **L'eau de Javel en berlingot doit être diluée et utilisée dans les 3 mois suivant la date de fabrication inscrite sur l'emballage.**

L'eau oxygénée permet de contrer l'action de l'eau de Javel. Idéale pour retirer les taches de roussi du linge, elle blanchit l'ivoire, l'os et la corne. Surtout rebouchez bien la bouteille : l'eau oxygénée s'évapore facilement. On la trouve en pharmacie dans des concentrations variant de 10 à 20 volumes.

Le perborate de sodium élimine les taches colorées comme le café, le thé ou les fruits. Mais il est à proscrire sur la laine, la soie et la plupart des tissus synthétiques.

Les réducteurs

Le souffre blanchit les lainages.

Le sulfite, le bisulfite et l'hyposulfite de sodium éliminent les taches de vin, de fruits

et de rouille, et ils nettoient les fourrures blanches. On les utilise également pour blanchir le linge, les lainages, les soieries et les tissus synthétiques.

Les neutralisants

Très efficaces sur les taches métalliques, ils stoppent l'action colorante de certains produits en se combinant avec les composants de la tache pour former un précipité de sels solubles partant facilement au rinçage.

Les acides

Excellents détartrants et décapants, ils éliminent les tache d'origine organique. Ils sont également parfaits pour retirer les traces de ciment, de tartre, de calcaire et de moisi sur le carrelage.

Le vinaigre blanc, obtenu par fermentation du vin, est un excellent détachant. Il détartre, ravive les tapis et nettoie les vitres. Il assouplit également les lainages si on le verse dans la dernière eau de rinçage.

Le citron, contenant de l'acide citrique, élimine les taches sur les sols en terre cuite et ravive le rotin.

L'esprit de sel (acide chlorhydrique ou chlorure d'hydrogène) se trouve dans les drogueries. Remarquable pour détartrer les sanitaires, le carrelage et rénover les pierres des terrasses, il est très corrosif. Il vaut mieux l'utiliser dilué et éviter de le verser sur le marbre et l'argenterie. Attaquant la peau et les muqueuses, l'esprit de sel est à manier avec des gants.

Le sel d'oseille (acide oxalique) s'achète en pharmacie ou dans certains rayons bricolage. Se présentant sous la forme d'une poudre blanche, il fait des miracles sur les taches de rouille ou d'encre. Le sel d'oseille est un poison violent à ne surtout pas laisser à portée des enfants.

Les bases

L'ammoniaque (alcali), à base d'hydrogène de l'azote, élimine les corps gras et neutralise l'action de certains acides. Connu depuis l'Antiquité, l'ammoniaque a été, comme l'eau de Javel, mis au point par le chimiste Bertholet.
Excellent nettoyant et désinfectant, c'est un produit idéal pour rénover les couleurs de certains tissus, des tapis et des moquettes, et pour désinfecter peignes et brosses. On le trouve dans n'importe quelle droguerie. L'ammoniaque est un poison dangereux. Il faut toujours l'utiliser dilué et dans une pièce aérée. On doit le tenir hors de portée des enfants et ne jamais fermer la bouteille avec un bouchon de liège.

À NOTER
• **En cas d'ingurgitation de produit nocif, le Bitrex est une substance qui a la particularité, en agissant sur les muqueuses, de le faire instantanément recracher. La chaîne de magasins Système U est la première en France a avoir introduit du Bitrex dans tous ses nettoyants ménagers.**

Les solvants

Inflammables, souvent nocifs, ils agissent sur les taches grasses, d'encre et de sucre.

Le White Spirit, l'essence de térébenthine et la benzine sont des solvants pétroliers qui éliminent les taches de caoutchouc, de résine, de cire, de graisse, de peinture ou de cambouis.
L'essence de térébenthine est extraite du térébinthe, du mélèze et du pin. Mal bouchée, elle devient grasse. On peut vérifier sa fraîcheur en secouant le flacon bien fermé : si l'essen-

ce est fraîche, les bulles formées à la surface disparaissent aussitôt.
Très volatile, la benzine élimine les taches de graisse sans auréole. Elle redonne également son brillant au vernis terni.
L'essence de térébenthine et la benzine sont très inflammables. Il ne faut jamais les utiliser en présence d'une flamme ou même d'une source d'étincelle.
De plus, à la longue, les émanations toxiques de White Spirit peuvent attaquer les reins.

Le trichloréthylène et le perchloréthylène sont des solvants chlorés dérivés de l'éthylène. Volatils, ils éliminent les taches grasses et permettent le nettoyage des tissus délicats. Le détachage au trichloréthylène laisse parfois des traces qui peuvent être éliminées à l'aide d'un produit anti-rouille suivi d'un rinçage. Le trichloréthylène et le perchloréthylène sont toxiques par inhalation. On doit les utiliser avec des gants et dans une pièce aérée.

L'alcool à brûler élimine les taches de graisse, de vernis et de résine sur les tissus sauf sur les synthétiques, car il casse les fibres.
Il dégage des vapeurs nocives et est très inflammable.

L'acétone dissout les taches de graisse, de vernis et de résine sur les tissus ainsi que la cire sur le bois ciré. Il ne faut surtout pas l'utiliser sur des tissus fragiles comme l'acétate ou la rayonne.
Ce solvant inflammable et dangereux est à manier dans un local aéré.
On le trouve chez le pharmacien.

Les solvants ont un pouvoir dégraissant très élevé mais ils doivent être employés avec précautions : la France se place en tête des pays comptabilisant le plus d'accidents dits « domestiques ». Lisez toujours attentivement les notices. Certains produits sont si volatils qu'une étincelle électrique pourrait provoquer une explosion. Durant leur utilisation, il est recommandé d'éviter de fumer. De plus, la plupart d'entre eux dégageant des gaz suffocants, il vaut mieux les manier la fenêtre ouverte et reboucher la bouteille dès que possible. Rangez-les en hauteur, hors de portée des enfants et si possible dans des placards fermés.

ATTENTION

• Pour obtenir une solution diluée il faut toujours verser le produit concentré dans l'eau et jamais l'eau dans le produit.
• En règle générale il est préférable d'utiliser les solvants en toutes petites quantités.

ATTENTION AUX ENFANTS

Sachez que la France se place en tête des pays qui comptabilisent le plus d'accidents dits « domestiques », alors une dernière recommandation : rangez les produits ménagers en hauteur, hors de la portée des enfants et, si possible, dans des placards fermés.
• La chaîne de magasins Système U est la première, en France, à avoir introduit du Bitrex dans tous leurs nettoyants ménagers.
• Le Bitrex est une susbstance qui a la particularité, en agissant sur les muqueuses, de faire instantanément recracher le produit ingurgité.

4

L'équipement de la maison

Du détachant à l'électroménager

LES PRODUITS

- *Acétone*
- *Alcool à brûler*
- *Alcool à 90°*
- *Ammoniaque ou alcali*
- *Anti-taches sous forme de pulvérisateur*
- *Benzine*
- *Blanc d'Espagne*
- *Cristaux de soude*
- *Eau de Javel*
- *Eau oxygéné à 20 volumes.*
- *Esprit de sel ou acide chlorhydrique*
- *Essence de térébenthine*
- *Huile de lin*
- *Lessive Saint-Marc*
- *Poudre Textienne*
- *Savon de Marseille*
- *Savon noir*
- *Sel d'oseille ou acide oxalique*
- *Solvants chlorés (perchloréthylène ou trichloréthylène)*
- *Talc*
- *Terre de Sommières*
- *Vinaigre blanc*
- *White Spirit*

LE MATÉRIEL

- *Balai en fibres naturelles ou synthétiques*
- *Balai en paille de riz, en chiendent ou à franges de coton*
- *Brosse à dents*
- *Brosse en bois non verni dont les poils sont insensibles aux solvants*
- *Brosse en soie pour les vêtements, les tentures et les revêtements de sièges*
- *Brosse métallique pour le nettoyage de certains métaux*
- *Chiffons en coton blanc, en laine (pour lustrer) et en soie (vieux foulards ou chemisiers usagés)*
- *Éponges synthétiques ou végétales*
- *Escabeau*
- *Filet machine pour le linge délicat*
- *Laine d'acier*
- *Peaux de chamois*
- *Papier absorbant (sans impression)*
- *Serpillières en coton absorbant*
- *Toile émeri*

L'ÉLECTROMÉNAGER

Les aspirateurs

Sur le parquet comme sur la moquette, **l'aspirateur-traîneau** est idéal. Il doit être muni de sacs à poussière et de filtres, d'un tuyau télescopique formé de 2 demi-tubes coulissants (permettant d'adapter la longueur des tubes à la taille de l'utilisateur), d'un coude pivotant, de deux suceurs (un pour sol dur et un pour moquette et tapis), d'une brosse et d'un grand cordon d'alimentation s'enroulant dans l'appareil.

En plus de ses qualités, il doit être léger, entouré d'une bande de caoutchouc le protégeant contre les chocs, le plus silencieux possible et muni de roulettes multidirectionnelles et d'un système de sécurité bloquant le moteur en l'absence de porte-sac et de sac à poussières. La mise en place du sac à poussière doit être facile.

Afin d'obtenir un air plus pur et de palier les risques d'allergie et de problèmes respiratoires, certains aspirateurs (Singer) sont maintenant dotés de sacs à poussière à triple épaisseur et à fermeture hermétique, ainsi que d'un double filtre au cœur de l'appareil et une cassette ultra-filtre qui retient les bactéries.

Autrement dit « en cuve » ou « bidon », **l'aspirateur-seau** aspire tout : poussière, gravats, sciure, copeaux de bois, cendres ou eau. Très utile pour l'extérieur, il est idéal en fin de chantier.

Les aspirateurs-balais sont recommandés pour une petite surface.

Les aspirateurs injection-extraction sont le plus souvent loués. Ils lavent, rincent et aspirent. Ce procédé de nettoyage consiste en une pulvérisation d'un liquide sous pression, additionné ou non d'un détergent non moussant, immédiatement suivie d'une aspiration. On utilise les aspirateurs injection-extraction pour nettoyer la moquette, les sièges et les tentures. Certaines machines utilisent une solution lessivielle ou un solvant additionné ou non de tensio-actifs.

Les nettoyeurs à vapeur sous pression

Des petites machines produisant de la vapeur et ressemblant à des aspirateurs sont apparues depuis quelques années. Il s'agit d'une chaudière dont l'eau est portée à ébullition par une résistance électrique. Un puissant jet de vapeur sous pression, sans adjonction de produit, s'échappe d'une buse. L'action conjuguée de la pression et de la chaleur décolle les salissures et fait éclater les molécules de graisse recueillies par le tissu absorbant qui est placé sur la buse.

Cet appareil peut également être utilisé pour décoller les papiers peints, nettoyer les sols, désagréger les poussières, décrasser les fours et extraire des textiles les anciens résidus de détergents.

Le nettoyage à la vapeur a comme principal intérêt le fait de ne pas utiliser de détergents ni aucun produits de nettoyage et de tuer germes, bactéries et acariens. Si ses performances ne sont pas discutables sur les sols carrelés, les sols plastique, les terrasses et les vitres (quand l'eau ne coule pas autour des fenêtres), on doit l'utiliser avec précaution sur les tentures et les sièges.

5
Détacher
les textiles

Tissus d'ameublement, Linge et vêtements en général, gants, cravates, chaussures, imperméables, lainages, lamés et dentelles en particulier

LE LINGE ET LES VÊTEMENTS

Les taches de boissons alcoolisées, d'alcool et de vin
S'il s'agit de taches fraîches, il n'est pas besoin d'utiliser de détachant. Absorbez-les délicatement avec un papier buvard, une éponge ou un linge en coton. Les traces restantes s'élimineront en passant dessus un chiffon imbibé d'un peu d'eau minérale.
En cas de taches séchées et incrustées, il faudra les humecter avec un mélange eau-alcool (50 %). L'acide acétique (25 %) aura raison des traces restantes. Rincer. Sécher.
L'eau légèrement javellisée ou l'eau oxygénée viendra également à bout des taches rebelles. Le sulfite, le bisulfite et l'hyposulfite donnent de bons résultats sur les taches de vin rouge.

ATTENTION

• **Surtout ne vous risquez pas à vider votre salière sur une tache de vin ! Le sel fixe ce genre de taches à jamais.**

Sur les fibres synthétiques, on élimine les taches de boisson alcoolisée en les tamponnant avec un linge imbibé d'eau et de liqui-

de-vaisselle. Si elles ne disparaissent pas à l'eau savonneuse, il faut passer dessus du savon de Marseille sec. Laissez agir quelques heures puis rincez.

Les taches de beurre ou de matières grasses
Sur du coton blanc, ces taches disparaissent soit avec de l'eau savonneuse, soit avec un solvant du type trichloréthylène. N'oubliez pas de placer un papier absorbant ou un linge propre sous le tissu.
Sur un textile de couleur, préférez l'eau additionnée d'un peu d'ammoniaque.
Sur la soie, il faut saupoudrer les taches de beurre ou de matière grasse de talc. Laisser absorber puis brosser doucement.
Sur la laine, la poudre de terre de Sommières donne de bons résultats.

Les taches de cirage, de cire, de fond de teint ou de rouge à lèvres
Il est conseillé de détacher le textile taché avant de le laver. Il faut ôter l'éventuel excédent avec une spatule ou une cuiller, puis éliminer les traces restantes avec de la benzine, de la térébenthine ou du White Spirit.
Le trichloréthylène donne également de bons résultats pour dégraisser la zone tachée, puis

on tamponne la trace restante avec de l'eau de Javel ou de l'eau oxygénée. Rincer. Sécher.

ATTENTION
• **Les taches de graisse et de maquillage ne doivent jamais être mouillées.**

Les taches de bougie
La règle est de toujours gratter délicatement les taches solides avec une spatule ou une cuiller. La tache grattée, il faut y déposer un buvard et passer dessus un fer chaud. La trace grasse restante s'élimine avec de la benzine.

Les taches de goudron, de mazout ou de fuel
Il faut retirer le maximum de la tache avec une spatule ou une cuiller, et si nécessaire la ramollir avec un corps gras. L'excédent retiré, il faut tamponner la trace restante avec un solvant chloré, puis la saupoudrer de terre de Sommières, et enfin éliminez la terre de Sommières en la brossant ou en l'aspirant. Sur un textile de couleur, le tétrachlorure de sodium donne de bons résultats. Sur la laine ou la soie, le chloroforme est idéal. Sur les synthétiques, on peut tamponner la tache avec un chiffon imbibé soit d'eau citronnée, soit de White Spirit. N'oubliez pas de rincez !

Les taches d'œufs
En principe, de l'eau froide suffit. Si la tache est incrustée, il faut la tamponner avec un chiffon imbibé d'un peu d'eau javellisée.

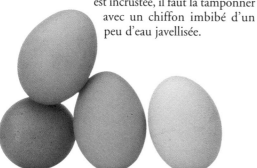

Les taches de boue
Laissez la boue sécher, puis brossez. On fait disparaître les traces restantes avec de l'eau savonneuse.
Sur les fibres naturelles, on peut utiliser de l'eau ammoniaquée (1 cuillerée à soupe pour 1 litre). Frottez doucement puis rincez.
L'eau additionnée d'un jus de citron donne également de bons résultats.

Les taches de café ou de thé
Elles disparaissent avec un mélange eau-alcool (50/50), puis avec de l'acide acétique (25 %). Sur les tissus synthétiques ou artificiels, les taches de thé se nettoient avec du jus de citron. Surtout n'oubliez pas de rincer la zone détachée !
Un mélange à parts égales de vinaigre blanc et d'alcool à 90° est également très efficace.
On peut aussi éliminer les taches de café ou de thé avec du perborate de sodium.
Sur la soie et la laine, de l'eau additionnée d'alcool à 90° donne de bons résultats.

Les taches de chocolat
En principe, de l'eau froide suffit. Si la tache persiste, on peut tenter de l'éliminer en l'humectant avec de la benzine ou de l'alcool.

Les taches de chewing-gum
Il faut refroidir ces taches en passant dessus un sac en plastique rempli de glaçons.
La tache devenue solide, vous retirerez l'excédent avec une cuiller ou une spatule.
S'il reste des traces grasses, il faut les éliminer avec un solvant.

Les taches de colle de menuisier
On les nettoie avec un chiffon imbibé d'eau tiède. Rincer. Sécher.

Les autres taches de colle
Après avoir ôté l'excédent, on tamponne la zone tachée avec de l'alcool à brûler ou avec un solvant préconisé par le fabricant.

Les taches d'encre de stylo bille, d'herbe ou de mousse

Sur les cotons blancs ou grand teint, l'alcool à 90° ou l'eau additionnée d'eau de Javel sont très efficaces.

Mais l'alcool à 90° est à proscrire sur les fibres synthétiques et artificielles. Il est préférable de tamponner la tache le plus rapidement possible avec du jus de citron. Rincer. En cas de coloration persistante, il est conseillé de recommencer le traitement.

On peut également essayer le corrector.

Sur les tissus de couleur en coton, un mélange à parts égales d'alcool ou de vinaigre d'alcool et d'eau est également très efficace.

Sur la laine et la soie, il est préférable d'appliquer un chiffon imbibé d'un mélange composé d'1/3 d'alcool à brûler et de 2/3 d'eau froide.

Les taches de mercurochrome ou de teinture

Sur les tissus en coton ou non fragiles, l'ammoniaque à 10 % ou l'eau additionnée de Javel donne de bon résultats. Rincez au vinaigre blanc puis à l'eau.

Sur les fibres synthétiques, on préférera le jus de citron.

Sur la laine et la soie, comme pour les taches d'encre, il vaut mieux appliquer sur la tache un chiffon imbibé d'un mélange composé d'1/3 d'alcool à brûler et de 2/3 d'eau froide.

Les taches de rouille

Elles disparaissent à l'aide d'eau additionnée de quelques gouttes d'acide chlorhydrique. Surtout pensez à rincer la zone détachée !

Sur la laine blanche, il est recommandé d'utiliser de l'acide oxalique (sel d'oseille), sur les synthétiques du jus de citron, et sur la soie de l'hyposulfate de soude. N'oubliez pas de rincer la zone détachée !

Les taches de roussi

Sur le coton blanc, on doit frotter les parties jaunies avec un chiffon blanc imbibé d'un mélange d'eau froide et d'eau oxygénée à 10 volumes. Rincer.

Les taches de fruits ou de légumes

Sur les tissus en fibres naturelles, les taches de fruits ou de légumes s'éliminent avec un mélange à parts égales d'eau et d'alcool puis avec de l'acide acétique (25 %).

Sur les tissus blancs, l'eau légèrement javellisée est très efficace.

Sur la laine, on peut tamponner la zone tachée avec un chiffon imbibé d'un peu de vinaigre. Pensez à rincer.

Sur les fibres artificielles et synthétiques, il est préférable d'utiliser de l'eau savonneuse.

On peut également éliminer les taches de fruits avec du perborate de sodium.

Si la tache persiste, on peut essayer de décolorer la tache à l'eau oxygénée à 10 volumes. N'oubliez pas de rincer aussitôt.

Les taches de lait

Elles s'éliminent avec de l'ammoniaque à 28 %.

Les taches de peinture

Une fois l'excédent de la tache retiré délicatement avec une cuiller ou une spatule, il est conseillé de tamponner la zone tachée avec un chiffon imprégné de solvants variant selon le type de peinture.

En cas de taches rebelles on peut recourir à de la matière grasse comme le saindoux. On laisse agir une nuit, puis on s'attaque à la zone tachée avec un chiffon imbibé d'un mélange d'essence minérale et d'éther sulfurique.

Les taches d'urine, de sueur, d'excréments et de vomissures

Si on n'a pas la possibilité d'agir immédiatement en rinçant ces taches à l'eau tiède, on peut les faire disparaître avec de l'ammoniaque à 28 %.

On peut également passer sur la zone tachée un chiffon imbibé d'eau oxygénée.

Sur la laine, de l'eau additionnée de vinaigre d'alcool est recommandée.

Les taches de sébum

On fait disparaître les traces de sébum sur les cols de chemise, de robes ou de veste en les tamponnant avec de l'eau ammoniaquée (1 cuiller d'ammoniaque pour 1 litre d'eau). Sur les textiles en fibres synthétiques, il vaut mieux utiliser de l'essence minérale.

Sur la laine, la terre de Sommières est recommandée. On saupoudre la tache, on laisse agir puis on brosse doucement.

Sur la soie, le talc donne de bons résultats.

Les taches de sucre et d'aliments sucrés

Elles disparaissent à l'eau tiède.

Les taches de brûlures de cigarette

Sur du coton blanc épais, on peut éliminer ces taches avec de l'eau oxygéné à 20 volumes, puis on rince à l'eau javellisée et enfin à l'eau tiède.

Sur la laine et la soie, il vaut mieux passer du savon de Marseille sec. Laissez agir quelques heures, lavez, puis rincez.

Les taches de nicotine

On les élimine avec de l'alcool à 90°.

Les taches de vernis à ongles

On les retire avec de l'acétone ou de l'acéta-te d'amyle.

Attention ! surtout évitez les dissolvants !

Les taches d'humidité

Une pâte composée du jus d'un citron, de 30 g de savon blanc râpé, 30 g d'amidon et de 15 g de sel fin fera des miracles sur ces taches !

Les taches de moisi

On les élimine en les tamponnant avec de l'eau oxygénée à 10 volumes ou avec de l'eau de Javel dilué. On peut également les retirer avec de l'eau additionnée d'ammoniaque.

Les taches d'insectes

Sur un tissu blanc ou grand teint, les taches d'insectes disparaissent sous l'effet de l'eau javellisée.

Sur les tissus délicats, il vaut mieux utiliser de l'eau légèrement ammoniaquée.

Les taches de sang

On les retire avec de l'ammoniaque à 28 %, puis éventuellement avec de l'eau oxygénée. Sur un tissu grand teint, le sérum physiologique donne de bons résultats.

Une tache de sang rebelle disparaît avec de l'acide tartrique.

Les taches d'origine inconnue

Si vous n'arrivez pas à venir à bout d'une tache incrustée maculant un tissu blanc, essayez de l'eau froide.

Si on obtient aucun résultat, une fois le tissu sec, on peut tenter un produit antirouille, de l'eau oxygénée ou de l'eau Javel.

Si les résultats sont décevants, on peut poursuivre avec de la benzine, puis avec du tri-chloréthylène et enfin de la térébenthine.

Les auréoles

On élimine les auréoles d'un tissu détaché en le présentant au dessus d'un récipient contenant de l'eau bouillante.

LES GANTS

Si vos gants sont lavables, enfilez-les et frottez-les comme si vous vous laviez les mains avec de l'eau savonneuse. Rincez. Retirez-les. Séchez-les dans une serviette et renfilez-les pour qu'ils gardent la forme de vos mains.

Si vos gants ne sont pas lavables, détachez-les à l'essence minérale ou à la benzine. Puis étendez-les sur un linge et saupoudrez-les de fécule de pomme de terre. Une fois secs, retirez la fécule avec un chiffon propre.

TRUCS ET ASTUCES

• Pendant toute opération de détachage, il est recommandé de placer sous la surface tachée un papier absorbant ou un linge propre.

• Pour savoir si un textile est grand teint, il suffit d'appliquer sur son envers une pattemouille et de passer un fer chaud dessus. Si la pattemouille se colore, le tissu n'est pas grand teint.

LES CRAVATES

Si votre cravate n'est pas traitée anti-taches voici comment la détacher.

Les taches d'alcool, de vin
Si ses taches viennent d'êtres faites, il faut tout d'abord les absorber à l'aide d'un papier buvard, d'une éponge ou d'un linge en coton. Ensuite, il est conseillé de les tamponner avec un chiffon imbibé d'un peu d'eau.

Les taches de beurre ou de matières grasses
Il faut saupoudrer ces taches de talc ou de poudre de terre de Sommières. Laissez absorber puis brossez doucement.

Les taches d'œufs
En principe, de l'eau froide suffit.
Si la tache est profondément incrustée, il faut la tamponner avec un chiffon imbibé d'un peu d'eau javellisée.

Les taches de bougie
Retirez tout d'abord l'excédent avec une cuiller ou une spatule, puis déposez un buvard sur la zone tachée et passez dessus un fer chaud. Si une tache grasse subsiste, appliquez dessus un chiffon humecté de benzine.

Les taches de café ou de thé
On les retire avec un mélange à parts égales d'eau et d'alcool, puis avec de l'acide acétique (25 %).

Sur les fibres synthétiques et artificielles, on élimine les taches de thé avec un peu de jus de citron. N'oubliez pas de rincer.
Sur la soie et la laine, l'eau additionnée d'alcool à 90° donne de bons résultats.

Les taches de chocolat
Souvent de l'eau froide suffit. Si la tache persiste, il faut la frotter avec un chiffon de coton imbibé de benzine ou d'alcool.

Les taches d'encre de stylo bille, de rouge à lèvres, de fards
Parfait sur la laine et la soie, l'alcool à 90° est à proscrire sur les tissus synthétiques et artificiels. Il est préférable de les tamponner avec du jus de citron. Rincez.
En cas de coloration persistante, recommencez le traitement.
Le corrector peut également donner de bons résultats.

Les taches de rouille
On les retire avec de l'eau additionnée de quelques gouttes d'acide chlorhydrique. N'oubliez pas de rincer.
Sur les synthétiques, il est conseillé d'utiliser du jus de citron, sur la soie de l'hyposulfate de soude. N'oubliez de rincer la zone humectée de produit.

Les taches de fruits ou de légumes
Sur les tissus en fibres naturelles, on élimine ces taches en les tamponnant avec un linge imbibé d'un mélange à parts égales d'eau et d'alcool. Si la tache ne part pas, utilisez de l'acide acétique (25 %). Sur la laine, on peut tamponner la tache avec un chiffon imbibé d'un peu de vinaigre. Pensez à rincer.

Sur les fibres artificielles et synthétiques, de l'eau savonneuse suffit. On peut également tenter l'eau légèrement alcoolisée.
Si la tache persiste, il faut alors la décolorer avec de l'eau oxygénée à 10 volumes. N'oublier de rincer aussitôt.

Les taches de lait
On les élimine avec de l'ammoniaque à 28 %.

Les taches de peinture
Une fois l'excédent retiré avec une cuiller ou une spatule, il faut tamponner la zone tachée avec un chiffon imprégné de solvants variant selon le type de peinture.
En cas de taches rebelles, on peut recourir à de la matière grasse comme le saindoux. Laissez agir une journée, puis détachez avec un mélange d'essence minérale et d'éther sulfurique.

Les taches de sang
On les élimine avec de l'ammoniaque à 28 %, puis éventuellement avec de l'eau oxygénée.

Les taches de vomissures
Si on n'a pas la possibilité d'agir immédiatement en les rinçant à l'eau tiède, il faut utiliser de l'ammoniaque à 28 %.
On peut également passer sur la tache un chiffon imbibé eau oxygénée.
Sur la laine, l'eau additionnée de vinaigre d'alcool est recommandée.

Les taches de sucre et d'aliments sucrés
Elles disparaissent à l'eau tiède.

Les taches de brûlures de cigarette
Sur la laine et la soie, il faut passer du savon de Marseille sec. Laissez agir quelques heures, puis lavez et rincez.

Les taches de vernis à ongles
On les élimine avec de l'acétone ou de l'acétate d'amyle, jamais avec du dissolvant.

À SAVOIR
• **Protégez vos cravates avec un anti-taches et un peu d'eau minérale suffira pour les détacher.**

LES CHAPEAUX

Les chapeaux de paille

On détache les chapeaux de paille à l'aide d'un chiffon imbibé d'eau et de savon. Rincez. Séchez.
Si votre chapeau est très encrassé, vous pouvez le frotter avec un chiffon imprégné d'une pâte composée d'eau oxygénée et de talc.

Les taches de moisi
On les élimine avec de l'eau additionnée d'ammoniaque.

Les chapeaux en velours

On les détache en les frottant avec de la benzine ou de l'eau ammoniaquée.

Les chapeaux de feutre

Première chose à faire : les bourrer de papier pour ne pas les déformer ! Ensuite, il suffit de les présenter au-dessus de vapeur d'eau bouillante. Cette opération terminée, vous les brosserez. Vos feutres seront comme neufs.

LES CHAUSSURES

Les chaussures en daim

On détache le daim en le frottant doucement avec une brosse en crêpe imbibée d'un mélange à parts égales d'eau et d'ammoniaque. Les plaques brillantes du daim disparaissent en les frottant délicatement avec du papier de verre. Choisissez le grain le plus fin.

Les chaussures vernies

Le lait démaquillant fait des miracles sur les chaussures vernies.

TRUCS ET ASTUCES
• On ramollit un cirage durci avec quelques gouttes de pétrole ou d'essence de térébenthine.
• Pour assouplir des bottes en caoutchouc, il faut passer dessus un chiffon imbibé de quelques gouttes de glycérine.

Les chaussures (et les sacs) en crocodile ou en peau de serpent

Le crocodile et la peau de serpent se nettoient avec de l'eau savonneuse dans laquelle on a ajouté quelques gouttes d'ammoniaque.

Les chaussures ou les bottes en caoutchouc

On les nettoie à l'eau savonneuse. Mais si vous les juger trop ternes, vous pouvez les rendre à nouveau brillantes en passant dessus un chiffon imprégné de blanc d'œuf battu en neige.

Les semelles de crêpe

On détache des semelles de crêpe encrassées en les frottant avec un chiffon imbibé d'essence de térébenthine.

Les chaussures de tennis

On retire les traces d'herbe avec de l'alcool à 90°. Si les tennis sont vraiment très sales, on peut toujours les mettre dans un lave-linge à 30°, programme court, sans essorage. Mais en règle générale, il suffit de les brosser à l'eau additionnée de lessive.

À NOTER
• La gamme Saphir de chez Avel offre des produits de grande qualité pour l'entretien et la rénovation des chaussures.

LES VÊTEMENTS

Les imperméables

Un imperméable en caoutchouc se lave dans une baignoire remplie d'eau savonneuse.

Les gabardines

On détache une gabardine en passant dessus un chiffon imbibé d'eau ammoniaquée.

Les fourrures naturelles

On détache une fourrure en passant dessus un chiffon propre imbibé de térébenthine.
Sur les fourrures blanches, il vaut mieux passer un chiffon imprégné d'une pâte composée de benzine et de talc. Enduisez-la dans le sens du poil, laissez sécher et brossez.

À SAVOIR

• Les fourrures naturelles ne supportent pas l'eau. Si par hasard votre vison a été trempé par la pluie, il faut vite l'étendre à plat et l'essuyer avec une serviette éponge sèche.

TRUCS ET ASTUCES

• Le feutrage est caractéristique des fibres animales et ce phénomène est irréversible. Cependant, on peut tenter de défeutrer un lainage en le trempant dans de l'eau tiède additionnée de glycérine (1 cuiller à soupe pour 1 litre d'eau).

Les fourrures synthétiques

Une fourrure synthétique se traite comme un pull-over en laine. On la lave dans l'eau savonneuse à peine tiède. Ne la suspendez surtout pas, mais séchez-la à plat !

LES LAINAGES

On dégraisse un vêtement en laine dans de l'eau savonneuse additionnée d'une cuiller à soupe d'ammoniaque.

Votre pull angora gardera tous ses poils si vous l'enfermez durant 48 heures dans un sac en plastique au fond du réfrigérateur.

LES LAMÉS

On détache un vêtement en lamé en passant dessus un chiffon imprégné de bicarbonate.

LES DENTELLES

Les dentelles se lavent dans de l'eau savonneuse.

Les taches jaunes
On les élimine avec du sel d'oseille.

Les taches d'humidité
Elles disparaissent quand on les tamponne avec un chiffon imprégné d'un mélange à parts égales de lessive, d'amidon en poudre, de sel fin et de jus de citron.

Les taches de sang
On peut les dissoudre dans l'eau froide.

6

Le lavage et le repassage

Lessives, lavage à la main, lavage en machine, lave-linge, changements de couleurs, sèche-linge, fers à repasser, repassage

LES LESSIVES

Autrefois, à la campagne, on faisait la lessive à la cendre de bois dans un grand cuvier.

Le perborate
C'est un agent de blanchiment qui décolore les taches oxydables (vin, fruit, thé, café). Les lessives contenant du perborate atténuent ou modifient les teintes des tissus.

Les activeurs
Ils libèrent l'oxygène du perborate dès 30 ou 40°.

Les additifs
Ils empêchent les salissures décollées de se reposer sur le linge. Certains évitent même la corrosion des parties métalliques de la machine, d'autres, anti-mousse, protègent la machine de l'étouffement et du débordement. Les adoucisseurs, les colorants et le parfum sont également des additifs.

Les azurants optiques
Ils préservent la blancheur du linge, transformant en lumière bleue une partie des UV du soleil.
Il est conseillé d'utiliser les lessives avec azurants optiques uniquement sur les tissus blancs.

Les tensioactifs
Ce sont des détergents. Ils augmentent l'efficacité du lavage en permettant une meilleure mouillabilité des textiles. Ils éliminent les molécules solides et grasses et les laissant en suspension dans l'eau.

Les enzymes
Ils digèrent les taches organiques en scindant les molécules de protéines (taches de lait, d'œuf) et ils facilitent l'action des tensioactifs, sans laisser de résidus nocifs. Ils sont très efficaces à moins de 60°.

Les phosphates, zéolites, carbonates et autres citrates de sodium
Ce sont des agents anti-calcaires. Ils neutralisent la dureté de l'eau, empêchent la saleté de se redéposer sur le linge et permettent aux détergents de bien laver.

Les phosphates nuisent à la faune et à la flore aquatiques, et les lessives n'en contenant pas lavent aussi bien si ce n'est mieux et sont plus économiques.

Contrairement aux phosphates, les zéolites, sorte d'argile, sont inoffensifs sur l'environnement.

Les substances biodégradables

Ce sont toutes celles qui sont susceptibles d'être décomposées par des processus biologiques.

Les activeurs de lavage

Si votre linge est très sale, vous pouvez adjoindre à votre lessive un activeur de lavage du type K2R ou Rémy.

Les réparateurs

En cas d'accident, des réparateurs (K2R, eau écarlate) redonnent au linge blanc ou grand teint, teint par accident, ses couleurs d'origine.

À SAVOIR

- **Les lessives compactes sont plus économiques à condition de bien respecter les doses prescrites.**
- **Les lessives en perles (type Le Chat Mégaperles ou Super Croix Mégaperles) ont l'avantage de ne pas faire de poussière. Mais elles se fixent autour du hublot de la machine. Il est donc conseillé de les verser bien au cœur du linge.**
- **Les lessives en gel sont moins efficaces que les lessives en poudre.**
- **Le soleil est un excellent blanchisseur et désinfectant du linge.**

LE LAVAGE EN MACHINE

- Le coton et le lin blanc ou grand teint se lavent à 95°.
- Le linge de couleur résistant et le synthétique se lavent à 60°.
- Les fibres synthétiques se lavent à 40°, mais il vaut mieux privilégier le lavage en dessous de 40° pour limiter le retrait des fibres de cellulose et éviter le froissement des synthétiques.
- La laine, le linge délicat et le linge de couleur se lavent à 30°. Il ne faut jamais mettre la lingerie et les textiles délicats directement dans le tambour, mais dans un filet fermé par une glissière ou une taie d'oreiller. On doit éviter ou limiter l'essorage des tissus fragiles.

ATTENTION

- **Lors du lavage en machine, il faut fermer les fermetures à glissière des housses ou des vêtements et ôter les crochets des voilages.**
- **Au risque de le retrouvez sur tout le linge, on ne doit jamais laver en machine un tissu maculé de chewing-gum.**

Les lave-linge

Un lave-linge performant doit être muni d'un thermostat réglable, d'un bac pour l'eau de Javel, d'une touche demi-charge, et d'un système anti-débordement en cas de fuite ou de trop-plein.

Plus la vitesse d'essorage est élevée, plus le lave-linge est cher, plus le linge est sec et moins on use le sèche-linge. La plupart des marques proposent des machines dotées de vitesse d'essorage de 400 à 1 200 tours par minute. Certaines grimpent même à 1 600.

Les machines dotées d'une touche demi-charge – économisant eau et électricité de 10 à 20 % – et de programmes courts sont à privilégier.

À SAVOIR

- **Si le coton n'a pas besoin de beaucoup d'eau, le synthétique et la laine en réclament davantage.**

Une machine ne devrait pas mettre plus d'une heure et quart pour laver du linge à 60°.

Une machine lave au maximum 5 kg de coton, 2,5 kg de synthétique ou 1 kg de laine.

Sachant qu'un peignoir en éponge pèse près de 2 kg, une serviette en éponge 300 g, un drap de bain 500 g à 1 kg, un drap-housse 600 g et un chemisier 300 g, il vaut mieux charger le tambour à la moitié ou aux deux tiers.

Des balles de lavage sont apparues sur le marché. En matière synthétique très dures, elles pèsent 32 g chacune pour un diamètre de 37 mm. Battant, brassant, massant, frottant, elles permettent paraît-il de réduire la dose de lessive de moitié et de donner un linge plus souple, plus facile à repasser. À déconseiller aux oreilles sensibles!

À SAVOIR

• **Pour débarrasser le lave-linge et ses conduites des dépôts de détergent, on peut le faire tourner à vide avec seulement 5 litres de vinaigre blanc.**

Les sèche-linge

Il existe deux sortes de sèche-linge, ceux à évacuation et ceux à condensation.
Le sèche-linge à évacuation prélève l'air de la pièce, le réchauffe par des résistances et traverse le linge en supprimant l'humidité. Cet air est évacué dans la pièce.
Le sèche-linge à condensation, au lieu d'évacuer l'humidité extraite du linge, la condense puis la recueille dans un bac qu'il suffit de vider en fin de séchage.

Un sèche-linge équipé d'une sonde électrique est d'un maniement plus facile que celui à minuterie.
Il vaut mieux choisir un grand tambour où le linge est bien brassé. Certaines machines peuvent sécher 5 kg de serviettes éponge en 1 heure 40, d'autres en 3 heures. À vous de choisir!

TRUCS ET ASTUCES

• **Ajoutez au linge mouillé une ou deux serviettes éponges sèches : le séchage sera plus rapide.**

LE LAVAGE À LA MAIN

Lors du lavage à la main, il est préférable d'utiliser de l'eau chaude sur les taches sucrées et de l'eau froide sur le sang, le lait et les taches salées.

Le savon de Marseille est idéal pour le lavage des textiles courants et pour dégraisser les surfaces fragiles ou poreuses interdites aux détergents. On frotte la partie souillée avec le savon sec, on laisse agir toute la nuit puis on savonne à l'eau tiède.

Le linge taché de sang doit être trempé dans de l'eau froide, lavé au savon de Marseille et détaché avec de l'ammoniaque diluée. Surtout n'oubliez pas de vérifier sur une partie cachée de l'étoffe la tenue des couleurs.

TRUCS ET ASTUCES

• **Une petite pièce délicate peut-être lavée dans une essoreuse à salade remplie d'eau tiède savonneuse.**

La lessive Saint-Marc, selon la concentration choisie, est un excellent produit de nettoyage, aussi bien pour le lessivage des peintures, le nettoyage des sols, le décapage du bois que l'entretien des vêtements de travail.

Si par accident une goutte d'eau de Javel est tombée sur un tissu lavable, dépêchez-vous de l'imbiber avec quelques gouttes d'eau oxygénée à 10 volumes ou d'ammoniaque pure. Attendez quelques minutes puis rincez à l'eau claire.

ATTENTION

• **La laine et la soie ne supportent ni d'être frottées ni d'être tordues.** Il ne faut pas les essorer mais les sécher en les roulant dans un linge puis les étendre à plat sur une serviette sèche.

Après le lavage ou le nettoyage d'un tissu, l'effet anti-taches est éliminé. Il faut pulvériser à nouveau le produit anti-taches.

LES CHANGEMENTS DE COULEURS

Le soufre, le sulfite, le bisulfite et l'hyposulfite de sodium blanchissent les lainages, les fourrures blanches, les soieries, les tissus artificiels et les synthétiques jaunis.
L'eau javellisée blanchit également le linge.

Si des marbrures blanchâtres apparaissent sur le linge de couleur foncée, ajoutez du vinaigre blanc (1 verre pour 5 litres d'eau) dans la dernière eau de rinçage.

Si des tissus en fibres naturelles lavables sont jaunis aux pliures, il est conseillé de les badigeonner avec du lait. Laissez sécher si possible au soleil. Une fois le tissu sec, lavez-le normalement.

On ravive la couleur du coton rouge lavable en le trempant dans de l'eau additionnée de jus de citron (1 cuillerée de jus de citron pour 2 dl d'eau). Remuer, puis attendre quelques minutes.

On ravive la couleur du coton vert en le trempant dans de l'eau additionnée d'ammoniaque (3 cuillerées à soupe pour 1 l d'eau).

On ravive la couleur du coton bleu ou violet en le trempant dans de l'eau additionnée de vinaigre (3 cuillerées à soupe pour 1 l d'eau). On conserve sa couleur noire à un tissu en le rinçant avec une décoction de feuilles de lierre ou de noyer.

On conserve la couleur d'un lainage foncé ou noir lavable en le trempant dans de l'eau de cuisson des épinards ou une décoction d'écorces de bois de Panama : faire bouillir dans de l'eau des écorces de bois de Panama (100 g par litre d'eau). Filtrer puis laver ensuite le tissu avec cette préparation.
Et si décidément vos textiles sont devenus trop ternes pourquoi ne pas les teindre ?
La gamme Idéal offre des teintures très pratiques à utiliser. Elles se présentent soit sous la forme de barquettes, soit sous celles de petits sachets s'ouvrant tout seuls dans la machine à laver.

TRUCS ET ASTUCES

• **Le linge ne jaunira pas si vous l'envelopperez dans du papier aluminium ou du plastique de couleur sombre.**

LE REPASSAGE

Les fers à vapeur

Un fer à vapeur performant doit bien glisser, bien chauffer, résister au tartre, être maniable, avoir un niveau d'eau visible, beaucoup de trous (plus la semelle du fer en a, meilleure est la répartition de la vapeur), un remplissage d'eau facile, un bon débit, une bonne autonomie de vapeur, un spray qui envoie de l'eau sur les faux plis et un enrouleur à l'arrière.
Il ne doit pas être trop lourd. Un kilo est tout à fait suffisant, surtout après plus d'une heure de repassage.
Il vaut mieux ranger un fer à vapeur en position verticale.
Si votre eau est très calcaire, équipez-vous plutôt d'un fer à réservoir séparé.
Le repassage-vapeur exige une table à plateau

de métal grillagé recouvert d'un épais molleton, évitant ainsi la condensation de vapeur sous la table.

Avec la vapeur sous pression tout se repasse beaucoup plus vite. Mais si les fers à vapeur vous font horreur, vous pouvez humecter le linge à l'aide d'une éponge fine. Le repassage sera plus facile.

ATTENTION
• **Ne jamais s'éloigner d'un fer branché.**

Détacher et entretenir les fers à repasser

Certaines marques présentent des tissus imprégnés qui nettoient et rendent plus lisses les semelles de fer (Chamoisine Spado).

La semelle du fer en métal colle aux vêtements
On la nettoie avec du dissolvant. Avant de procéder à cette opération, pensez à débrancher l'appareil et à ouvrir la fenêtre.

La semelle du fer est jaunie
Elle peut être frottée avec un chiffon imbibé de jus de citron. On peut également passer le fer tiède sur un chiffon imprégné de vinaigre de vin.

ATTENTION
• **Ne jamais détartrer un fer à vapeur avec de l'eau vinaigrée, trop décapante. Préférer des détartrants spécialisés commercialisés par de grandes marques (Bulher).**

Le repassage proprement dit

Le repassage ne sert pas seulement à éliminer les faux plis : c'est également un excellent désinfectant.

Il faut toujours repasser le linge avec un fer dont la semelle est impeccable et sur un molleton propre.

Avant de repasser, il est impératif de régler la température du fer en fonction de la nature des fibres :

- ••• lin, coton
- •• viscose, laine
- • soie, polyamide, polyester, acétate.

Les acryliques, les chlorofibres et les non tissés ne se repassent pas.

Les étoffes en fibres cellulosiques apprêtées mécaniquement comme le chintz ou le moiré ne se vaporisent pas.

Les velours ainsi que tous les tissus à relief se manient délicatement. Il ne faut pas presser le fer dessus, mais les défroisser sous l'action de la vapeur en le passant à un centimètre au-dessus.

Le linge brodé se repasse à l'envers, en ayant soin de mettre en dessous une épaisseur suffisante de molleton pour que la broderie ne s'écrase pas.

Il est également préférable de repasser les étoffes imprimées à l'envers.
La soie se repasse humide.

Le linge plat (serviettes ou torchons) se travaille à l'endroit dans le sens de la longueur. Évitez les coups de fer en biais. La liseré ne serait plus droit au moment du pliage.

Plutôt que de laisser tomber par terre nappes ou draps, il vaut mieux les soutenir par des chaises placées autour de la table.

Des pattemouilles imprégnées de silicone facilitent le repassage. L'amidon aussi. Ils existent soit en bombe, soit en instantané soluble à l'eau froide, soit en cristaux (Bulher ou Rémy). L'amidon Rémy a également la particularité de se verser dans l'eau du bain pour adoucir la peau. L'eau de pomme de terre peut aussi devenir un merveilleux amidon : délayer 125 g de fécule dans 1/2 litre d'eau. Chauffer jusqu'à obtenir une gelée liquide. Dissoudre cette gelée dans 10 litres d'eau. Savonner le linge. Rincer à l'eau froide.

S.O.S.

En cas de panique, à Paris et en proche banlieue, certaines sociétés peuvent ramasser chez vous nappes, draps ou chemises et vous les rendre lavés et repassés en 72 heures maximum :

Allô Linge : 01 39 94 53 43,

Airelle : 01 48 07 14 14,

À tout fer : 01 46 51 15 14,

Allô Repassage Express : 01 47 91 43 30.

TRUCS ET ASTUCES

• Il vaut mieux repasser une étoffe après l'avoir traitée avec un produit anti-taches : le repassage en sera facilité.

• Le roussi du linge s'élimine en le tamponnant avec de l'eau oxygénée à 20 volumes.

• On délustre un tissu en trempant un chiffon propre et non pelucheux dans un verre et demi de vinaigre d'alcool mélangé à 1/2 litre d'eau. Essorer. Recouvrir le tissu de cette pattemouille et repasser à fer chaud. Remouiller puis essorer à nouveau si nécessaire. Résultats garantis.

• On redonne du gonflant à une housse ouatinée en la vaporisant avec le fer à vapeur.

7

Détacher et entretenir les revêtements muraux

Tentures murales, papiers peints, vénilia, toile de jute, toile adhésive, liège, papier liège, papier japonais, peinture mate ou laquée, surface lamifiée ou carrelée et plâtre

LES TENTURES MURALES

Sous peine d'obtenir d'épouvantables traînées sales, il est conseillé de dépoussiérer une tenture murale avant de la détacher.

Mais n'utilisez surtout jamais un chiffon : passez dessus l'aspirateur équipé de l'embout en forme de T.

Une fois les tentures dépoussiérées, il est recommandé de tamponner les taches avec un chiffon propre imbibé d'eau minérale sans savon. Si la tache ne disparaît pas, on peut alors utiliser un peu de détachant. N'oubliez pas de faire un essai sur une zone peu visible pour vérifier la tenue de la couleur et de l'impression !

Si la tache persiste au détachage domestique, faites appel à un spécialiste en n'oubliant pas de lui parler de vos essais successifs. Il peut obtenir des résultats plus efficaces là où vous avez échoué.

TRUCS ET ASTUCES
• On peut fabriquer un détachant universel en mélangeant dans une bouteille en verre 1/3 d'ammoniaque, 1/3 d'alcool et 1/3 d'éther.

Le problème des taches peut être résolu si vous achetez un tissu traité avec un anti-taches. La société TexGuard fournit par exemple un produit efficace à appliquer soi-même.

Chez Spado, la poudre Textienne en aérosol est très pratique pour éliminer les taches de gras sur les tentures murales.

On trouve également chez cette marque de la terre de Sommières. Sous forme de poudre, ce produit enlève à sec et sans auréole les taches grasses sur les textiles délicat comme la soie.

L'Eau Écarlate, qui a été créée par le chimiste Bourdelle en 1855 afin de détacher les pantalons rouges des soldats, élimine également les taches de gras.

Il existe également des détachants spécifiques chez K2R, Eau écarlate ou Le Diable détacheur.

LA TOILE DE JUTE

Composée de fibres extraites de la tige de la plante, la toile de jute se détache comme un tissu. Si elle est très encrassée, passez dessus un chiffon imbibé d'eau additionnée d'ammoniaque.

LA TOILE ADHÉSIVE

On la traite comme un tissu.

LES PAPIERS PEINTS

Il ne faut jamais détacher ou lessiver les papiers peints sans les avoir préalablement dépoussiérés.

Les papiers peints lavables ou lessivables

On les détache avec une éponge imbibée d'eau additionnée de lessive ou de quelques gouttes de Javel. Rincer, puis essuyer avec un chiffon propre.

Les papiers peints non lavables

Les traces de doigts
On les fait disparaître à l'aide d'une gomme douce et propre ou avec de la mie de pain.

Les taches de moisissure
On les élimine à l'aide d'un coton-tige imbibé d'eau et d'eau de Javel (5 volumes d'eau pour 1 volume d'eau de Javel).

Les taches de roussi
On les retire à l'aide d'un coton-tige imbibé d'eau et de Javel (5 volumes d'eau pour 1 volume d'eau de Javel) à laquelle on ajoute quelques gouttes d'eau oxygénée. Ne pas oublier de rincer et d'essuyer délicatement.

Les taches d'encre
On les élimine en passant dessus un coton-tige imprégné d'eau oxygénée à 12 volumes. L'acide chlorhydrique donne également de bons résultats. Pensez à rincer et à sécher.

Les taches de graisse
On les fait disparaître en les saupoudrant d'amidon en poudre, de talc ou de terre de Sommières. Laisser agir une nuit. Le matin, brosser délicatement.

Si la tache est ancienne, il faut la tamponner avec du trichloréthylène, puis la saupoudrer de talc.

LE VÉNILIA

Ce type de plastique se lave avec une éponge imbibée d'eau et de lessive.

LE LIÈGE

Provenant d'une variété de chêne, le chêne-liège (Quercus suber), le liège se brosse doucement avec de l'eau additionnée de savon de Marseille. Rincer à l'eau chaude sans trop mouiller, puis essuyer avec un chiffon propre.

ATTENTION
• **Le liège est inflammable !**

On peut protéger le liège en passant dessus un chiffon humide imprégné de glycérine. On peut également le frotter avec de l'huile de paraffine.

LE PAPIER-LIÈGE

On le détache à la lessive Saint-Marc.

TRUCS ET ASTUCES
• **Aussi bien et même mieux que la lessive Saint-Marc sur le papier-liège, les peintures et les papiers peints, le lavage à l'eau de son donne d'extraordinaires résultats : acheter 1 kg de son dans une droguerie, le porter à ébullition dans 6 litres d'eau pendant 25 minutes. Laisser refroidir. Filtrer puis ajouter une cuillerée d'ammoniaque par litre. Passer sur le mur une éponge propre imbibée de ce liquide, rincer et sécher.**

Une fois propre, on peut redonner une nouvelle jeunesse au papier liège en passant dessus un chiffon imbibé d'huile de vaseline.

LES PAPIERS JAPONAIS OU EN PAILLE

On les détache à l'aide d'une éponge humide. Si on les trouve ternes on peut raviver leur couleur à l'aide d'un chiffon imprégné de jus de citron.

LES PEINTURES

Le salpêtre sur les murs peints se retire à l'aide d'une éponge imbibée de lessive Saint-Marc.

Les peintures mates ou satinées

La plupart des taches disparaissent quand on lessive les murs. Le lessivage est autorisé sur les peintures mates ou satinées à condition de ne pas tremper l'éponge, de diluer plus ou moins la lessive et de procéder par petites surfaces, du bas vers le haut. Il est conseillé de rincer de haut en bas puis d'essuyer les murs le plus rapidement possible.
Les taches rebelles disparaissent quand on les frotte avec une éponge imprégnée d'eau javellisée additionnée de poudre abrasive.

À NOTER
• Une fois le mur nettoyé, il est conseillé de l'enduire avec un hydro-oléofuge du type ProtectGuard. Ce produit, testé par le CEBTP (Centre d'expérimentation des bâtiments et travaux publics), protège tous les matériaux poreux du bâtiment. Pour en savoir plus sur ce traitement, vous pouvez appeler 24 heures sur 24 au 01 36 68 20 11.

Les peintures laquées

On nettoie les peintures laquées avec une éponge à peine humide et fréquemment rincée. Sous peine de laisser des traînées disgracieuses, il est conseillé d'essuyer aussitôt avec une peau de chamois.

On peut également essayer des produits pour la carrosserie automobile.

LES SURFACES LAMIFIÉES OU CARRELÉES

On entretient les surfaces lamifiées avec de l'eau tiède légèrement ammoniaquée ou de l'eau savonneuse. Essuyer aussitôt.
Les produits pour vitre donnent également de bons résultats, et l'alcool à brûler redonne du brillant au lamifié.

Pour détacher les surfaces lamifiées, il faut les laver à l'eau tiède additionnée d'un produit n'attaquant pas les joints de ciment (savon noir, lessive Saint-Marc ou Carolin). Rincez. Séchez.

Sur le carrelage comme sur les surfaces lamifiées, on élimine les taches de graisse avec l'alcool. Si les taches persistent, on peut passer dessus une brosse imbibée d'eau javellisée.

TRUCS ET ASTUCES
• L'eau de cuisson des pommes de terre fait des miracles sur les carrelages très encrassés.

L'entretien du carrelage sera facilité si une fois lavé, vous l'encaustiquez avec une cire au silicone. Non seulement les carreaux prendront un aspect satiné, mais les taches ne pénétreront plus. Appliquez à l'aide d'un chiffon, laissez sécher deux ou trois heures, puis faites briller au chiffon de laine.

À NOTER
• Une fois posé, le carrelage peut présenter des remontées de plâtre ou de ciment. Dans la gamme Louis XIII de chez Avel ou dans la gamme Spado, on trouve des produits parfaitement adaptés qui éliminent ces sortes de voiles blancs.

LE PLÂTRE

Un mélange d'eau et d'amidon très fin appliqué au pinceau est très efficace sur le plâtre. Une fois la surface sèche, il est conseillé de la brosser à l'aide d'une brosse propre, douce et sèche.

LE BÉTON ET LE CIMENT

Revêtements poreux et granuleux, le béton et le ciment s'effritent à la longue. Sous peine de les désagréger, il faut proscrire l'ammoniaque, la soude ou les acides, et les laver à l'aide d'une brosse imprégnée d'eau et additionnée de lessive Saint-Marc. Rincer. Sécher soigneusement.

ÉLIMINER LES GRAFFITIS

En fonction de la nature du graffiti et du support, des produits acides ou alcalins, généralement associés à un lavage haute pression, permettent de supprimer les tags.
Il existe maintenant sur le marché des produits anti-graffitis à pulvériser sur les murs (comme Graffitis-Guard).

8

Détacher et entretenir les portes et boiseries

Boiseries et portes peintes, laquées, cirées, vernies ou en bois blanc

LES BOISERIES ET LES PORTES PEINTES

On doit toujours laver les boiseries peintes en commençant par le bas. Rincer, puis essuyer en commençant par le haut.

Une éponge imprégnée d'eau additionnée d'un peu de lessive Saint-Marc ou d'eau de son (voir recette page 42) donne de bons résultats. Les traces de doigts partent avec de l'eau mélangée à de l'ammoniaque.

LES BOISERIES ET LES PORTES LAQUÉES

On les nettoie avec une éponge à peine humide et fréquemment rincée à l'eau froide et claire. On les essuie avec une peau de chamois. Les traces de doigts s'éliminent avec une rondelle de pomme de terre crue. Il faut en changer dès qu'elle noircit.

LES BOISERIES ET LES PORTES CIRÉES

On nettoie le bois ciré avec de l'essence de térébenthine. Après cette opération, on doit à nouveau cirer le bois (après l'avoir nettoyé) avec une cire appliquée en couche mince. Si les taches persistent, on peut les éliminer en les gommant avec un bouchon imbibé de térébenthine. En cas d'auréole, il suffit de passer un chiffon imprégné d'un peu d'huile de table : les différences de tons s'égaliseront. On peut également gommer les taches d'eau ou d'alcool avec un bouchon de liège.

À SAVOIR

• **La cire en pâte convient aux surfaces planes et la cire liquide au bois sculpté.**

LES BOISERIES ET LES PORTES VERNIES

On les frotte avec de la Popote d'ébéniste (Libéron), de l'huile de table et de l'essence de térébenthine, ou avec du thé froid, jusqu'à leur totale disparition.

Une fois les boiseries nettoyées, il faut les polir avec une peau de chamois.

Si les boiseries sont trop ternies, on peut leur rendre leur éclat en les frottant délicatement avec un chiffon de laine imbibé d'un mélange à parts égales d'alcool à brûler et d'huile de lin.

LES BOISERIES ET LES PORTES EN BOIS BLANC

On les nettoie avec une brosse imbibée d'eau tiède et de savon noir. Rincez et séchez rapidement de façon que l'eau ne pénètre pas dans le bois.

9

Détacher et entretenir les sols

Les parquets cirés et vitrifiés, les planchers de bois blanc, les dallages, le grès, l'ardoise, le marbre, les tommettes, le béton et le ciment, les sols en plastique et en caoutchouc, le linoléum

LES PARQUETS CIRÉS

Un parquet ciré se décape deux fois par an. On passe une paille de fer fine sur les bois fragiles et une grosse paille de fer sur les plus résistants. L'opération terminée, il faut passer l'aspirateur, pulvériser un insecticide entre les joints puis encaustiquer.

Les taches grasses, de cirage, de fuel et de goudron

Une fois l'excédent ôté, il faut tamponner la tache avec un chiffon imprégné d'un mélange de terre de Sommières et de trichloréthylène. Laisser agir plusieurs heures, puis aspirer et cirer.

Les taches de peinture à l'huile

Il faut gratter délicatement l'excédent, puis passer sur la tache restante un chiffon imbibé de White Spirit. Poncez, puis cirez, et lustrez.

Les taches de chocolat, de café, de thé, de vin, d'alcools, de sucre, de sang, d'excréments et de vomissures

On les lave à l'eau froide savonneuse.
Si la tache persiste et reste colorée, il faut alors la poncer puis passer l'aspirateur, cirer et enfin lustrer.

Les taches d'encre et de stylo à bille

On les élimine avec de l'alcool à 90°.
Si ce n'est pas suffisant, il faut poncer les traces restantes avec de la laine d'acier, puis aspirer, cirer et lustrer.

Les taches de colle et de bougie

Il faut gratter, poncer, aspirer, puis cirer et lustrer le bois.

Les taches de plâtre

On gratte délicatement l'excédent de plâtre puis on imbibe la tache restante avec du vinaigre d'alcool tiède.

LES PARQUETS VITRIFIÉS

Les taches grasses, de chocolat, de café, de thé, de vin, d'alcool, de sucre, de sang, d'excréments et de vomissures

Les taches liquides se retirent avec du papier absorbant. L'opération terminée, on passe une serpillière humide sur le parquet.

Les taches de cirage, de fuel ou de goudron

On doit les frotter avec un peu de Cif. Lavez la zone nettoyée avec de l'eau savonneuse puis rincez.

Les taches de peinture à l'huile
Il faut les gratter, puis passer du White Spirit, poncer et enfin revitrifier.

Les taches de colle
Il est conseillé d'utiliser le solvant préconisé par le fabricant.

Les taches de bougie
On doit les gratter doucement puis passer dessus une serpillière humide.

LES PLANCHERS DE BOIS BLANC

Une brosse de chiendent imbibée de savon noir suffit pour détacher le bois blanc.
Si on veut le blanchir, il suffit de le rincer à l'eau javellisée (4 cuillerées de Javel pour 1 litre). On peut également le frotter avec de l'eau de cuisson des pommes de terre.

LES DALLAGES DE PIERRE

On les brosse avec de l'eau tiède additionnée d'un produit n'attaquant pas les joints de ciment (savon noir ou lessive Saint-Marc). Rincer à l'eau froide légèrement javellisée, puis essuyer.

L'eau de son donne également de bons résultats (voir recette page 42).
On élimine la plupart des taches en les frottant soit avec de l'eau chaude fortement javellisée, soit avec de la poudre à récurer. Mais certaines sont plus tenaces :

Les taches d'encre
Elles disparaissent avec de l'eau de Javel.

Les taches de peinture ou de mastic
On les retire avec de l'alcool à brûler.

Les taches de mercurochrome
On les élimine avec du permanganate de potassium, puis avec de l'acide oxalique.

Les taches grasses rebelles
Elles partent avec un peu de benzine.

LE GRÈS

Sur le grès, on élimine les taches avec une éponge saupoudrée de poudre à récurer très fine. On l'entretient avec de l'eau savonneuse.

L'ARDOISE

On lave les sols en ardoise avec de l'eau javellisée (5 verres d'eau de Javel pour 1 litre d'eau). Rincer. Sécher.
Pour accentuer la couleur de l'ardoise, on peut utiliser de la cire à la térébenthine. Frotter. Lustrer.

LE MARBRE

On détache le marbre clair avec de l'eau savonneuse additionnée de quelques gouttes de Javel. On préférera de l'eau citronnée additionnée de sel sur le marbre blanc et du blanc d'Espagne additionné de quelques gouttes de benzine sur le marbre de couleur.
Mais certaines taches sont plus tenaces.

Les taches de rouille
On les fait disparaître avec de l'eau oxygénée à 20 volumes.

Les taches de brûlures de cigarette
On les élimine en passant dessus la moitié d'un citron.

Les taches d'encre
Elles disparaîtront si l'on passe dessus un chiffon imbibé d'un mélange d'1/3 d'ammoniaque et de 2/3 d'eau oxygénée à 20 volumes.

À SAVOIR

• Aucune tache ne résiste à un mélange composée de 1/3 de bicarbonate de soude et de 2/3 de poudre de pierre ponce. Laissez sécher, puis rincez à l'eau et au savon noir.
• En dernier recours, mais en dernier recours seulement, on peut toujours utiliser de la soude caustique (pensez à enfiler des gants de caoutchouc !). Rincer. Sécher.

Une fois le marbre nettoyé, on peut le protéger en l'encaustiquant ou en passant dessus un chiffon doux imprégné de glycérine ou d'huile de lin. Faire briller avec un chiffon de flanelle.

TRUCS ET ASTUCES

• On comble les fissures du marbre avec de la bougie chaude. Laissez sécher. Ôtez délicatement l'excédent à l'aide d'une spatule. Cirez le marbre.

LES TOMMETTES OU LES BRIQUES DE BOURGOGNE

Poreuses, les tommettes sont très perméables aux taches. On peut les protéger des salissures et des corps gras grâce à un hydro-oléofuge

de surface du type ProtectGuard. Ce produit est également très performant sur le marbre, les briques ou le plâtre.

Pour faire briller les tommettes, il faut les frotter avec un chiffon imbibé de 3/4 d'huile de lin et d'1/4 d'essence de térébenthine. Lustrez avec un chiffon de laine sec et propre. On les nettoie avec une dilution de 3/4 d'eau de Javel et d'1/4 d'eau, ou avec du savon noir passé à la brosse. N'oubliez pas de rincer et de sécher.

Sur les sols en terre cuite, la plupart des taches s'éliminent avec une dilution de 2 cuillers à soupe de jus de citron pour 1 litre d'eau.

Les taches de cirage et les taches grasses
On les élimine avec du trichloréthylène dilué.

Les taches de bougie, de fuel ou de goudron
Il faut gratter délicatement l'excédent puis passer sur la zone tachée de la térébenthine.

Les taches de peinture à l'huile
On les retire en passant dessus un chiffon imprégné de benzine.

Les taches de chocolat, de café, de thé, de vin, d'alcool et de sucre
On les fait disparaître avec de l'alcool à 90°. Si la tache persiste, utilisez du trichloréthylène.

Les taches d'encre et de stylo à bille
On les élimine avec de l'eau de Javel diluée.

Les taches de colle
Grattez doucement. Si la tache est incrustée, utilisez de la benzine.

Les taches de sang, d'excréments et de vomissures
Il faut passer sur les taches fraîches une serpillière humide, et sur les taches incrustées de l'acide chlorhydrique dilué.

LES SOLS EN BÉTON OU EN CIMENT
Voir page 44

LES SOLS EN PLASTIQUE ET EN CAOUTCHOUC

On les nettoie avec de l'eau savonneuse.

Les taches de cirage et les taches grasses
Si l'eau savonneuse ne suffit pas, il faut les frotter légèrement avec de la poudre abrasive fine.

Les taches d'encre ou de stylo à bille
On les élimine en les tamponnant avec un chiffon imprégné d'alcool à 90°.

Les taches de bougie ou de colle
Après avoir retiré délicatement l'excédent, on les élimine en les ponçant doucement avec une éponge saupoudrée de Cif. Si cela ne suffit pas, on passe sur la zone tachée un tampon de laine d'acier imbibé d'eau savonneuse.

Les taches de peinture à l'huile, de chocolat, de café, de thé, de vin, d'alcool et de sucre
On les élimine en les frottant avec du Cif. Passer une éponge imbibée d'eau puis sécher.

Les taches de fuel et de goudron
On les retire à l'aide de la lessive Saint-Marc. Rincer puis passer du Klir.

Les taches de sang, d'excréments et de vomissures
Une serpillière humide suffit.

LE LINOLÉUM

Le linoléum, fabriqué avec de la toile enduite à chaud, s'entretient comme tous les sols plastiques, mais contrairement à eux, il craint l'eau. Il vaut donc mieux éviter de le laver à grande eau.
Pour le protéger des taches et de l'usure, on peut passer dessus à l'aide d'un chiffon doux ou d'une cireuse soit de l'essence de térébenthine, soit un liquide lustrant.

ATTENTION
• Le linoléum ne supporte ni l'eau de Javel, ni l'ammoniaque, ni l'alcool à brûler, ni le trichloréthylène.

Les taches de graisse, sauce ou peinture
Si l'eau savonneuse ne suffit pas, il faut utiliser un solvant du type pétrolier comme la benzine ou l'essence de térébenthine.

Les taches de colle
On les élimine avec un détergent comme le savon de Marseille.

À NOTER
• Klir de Johnson protège et fait briller les sols en plastique, le carrelage, le marbre et le parquet vitrifié.
• Ne contenant que des produits naturels, la Cire minute en aérosol de Recherche et Traitements encaustique, ravive et protège les bois vernis et les sols plastiques.
• "Autrefois", émulsion au savon noir de chez Recherche et Traitements, est un décrassant qui associe la douceur et le satiné des stéarates à la force du savon noir. La pâte a été micromisée pour en multiplier l'efficacité et en faciliter l'emploi. Pure, elle vient à bout des taches rebelles. Diluée (3 cuillerées à soupe par litre d'eau), elle nettoie les sols carrelés et le marbre.
• Décapant Cire, également de chez Recherche et Traitements, a été mis au point pour venir à bout de tous les produits du commerce ayant encrassé ou empâté les sols. Il s'utilise sur le marbre, la pierre, la terre cuite, le grès, l'ardoise, le plastique et sur le parquet très sale.
• Le Carborundum est un excellent décapeur de parquets.

10

Détacher et entretenir les moquettes et tapis

Les moquettes et tapis en fibres naturelles, artificielles et synthétiques, les revêtements végétaux, les tapis en fourrure

ENTRETENIR LES MOQUETTES ET TAPIS

Vos tapis et moquettes méritent un entretien régulier. Il est essentiel pour leur durée de vie de passer au moins deux fois par semaine le balai mécanique ou l'aspirateur.

Pendant les deux premiers mois, tapis et moquettes perdent leurs excès de matière sous forme de peluche. Il faut alors les aspirer sans les frotter et, de manière générale, ne jamais les brosser avec une brosse dure. L'aspiration par brossage est cependant recommandée : elle relève mieux les poils.

TRUCS ET ASTUCES

• On ravive les couleurs d'un tapis en laine en l'humidifiant (et non en le trempant) avec de l'eau gazeuse. Laisser sécher puis brosser doucement.
• Pour éliminer parfaitement la poussière d'un tapis, on peut le saupoudrer avec des feuilles de thé encore humides. Laisser sécher puis passer l'aspirateur.

L'aspirateur ne pouvant éliminer toutes les poussières, il faut, une fois par an, après un dépoussiérage soigneux, procéder à un shampouinage avec une machine spéciale.

Deux fois par mois il est recommandé de faire un shampooing à sec dans les endroits les plus exposés et un shampooing liquide partout ailleurs.

La plupart des produits en aérosol ou en poudre comportent des conseils d'utilisation. Il vaut mieux les suivre attentivement.

Dernière recommandation : pensez à changer votre tapis de sens deux fois par an : il s'usera moins.

ATTENTION

• Ne jamais détacher une moquette ou un tapis poussiéreux : il faut impérativement passer l'aspirateur avant.
• Ne jamais détremper les moquettes et les tapis.
• Ne jamais utiliser un produit sans faire un essai préalable sur une partie peu visible et sans vérifier si les couleurs ne déteignent pas ou si les fibres ne sont pas attaquées.

DÉTACHER LES MOQUETTES ET TAPIS EN FIBRES NATURELLES

Les taches grasses et de fards, cirage, fuel et goudron

Après avoir retiré délicatement l'excédent de la tache avec une spatule ou une cuiller, il faut appliquer un mélange de terre de Sommières et de perchloréthylène sur la zone tachée. Laissez sécher, puis recommencez si nécessaire.

Les taches de peinture

Ôtez délicatement l'excédent puis tamponnez la tache restante avec un mélange de terre de Sommières et de benzine. Laissez sécher. Aspirez.

Les taches de boue

On les aspire une fois sèches. Si des traces subsistent, il faut les frotter avec de l'eau vinaigrée (1 cuiller à soupe pour 1 litre d'eau). N'oubliez pas de rincer. Épongez avec un linge aussitôt.

Les taches d'alcool, de vin, d'encre, de café, de thé, de sucre, de confitures, de sauces légères, de fruits et de légumes

Il faut absolument absorber rapidement ces taches avec un buvard ou du talc, puis les tamponner avec un chiffon imbibé d'alcool et d'eau (1/4 d'eau, 3/4 d'alcool).

Les taches de chocolat

On les élimine en les tamponnant avec un chiffon imbibé d'essence minérale ou de benzine. L'opération terminée, on applique dessus un chiffon imbibé d'un mélange d'eau et d'alcool à 90°.

Les taches de sang

Si le sang est sec, il faut le gratter délicatement avec une cuiller. Sinon, on passe d'abord un chiffon imprégné d'eau froide et ensuite un autre imbibé de vinaigre blanc.

Les taches d'excréments et de vomissures

Il faut les tamponner avec un chiffon imbibé d'un mélange à parts égales d'eau et d'ammoniaque. Le vinaigre blanc pur donne également de bons résultats. Rincez et séchez.

Les taches de colles

On doit délicatement retirer l'excédent avec une spatule ou une cuiller, et non avec la lame d'un couteau, puis tamponner la zone tachée avec un chiffon imbibé d'alcool à brûler ou avec le solvant préconisé par le fabricant.

Les taches de bougie

Il faut retirer l'excédent avec une spatule ou une cuiller, puis appliquer sur la zone tachée un buvard ou du papier absorbant et passer un fer chaud dessus. Le reste de la tache s'éliminera avec de la benzine. Du vinaigre d'alcool blanc chaud donne aussi de bons résultats.

Les taches de brûlures de cigarette

Si la brûlure est superficielle, on peut éliminer les fibres noircies en brossant vigoureusement la zone brûlée. On peut également couper les poils brûlés et éclaircir la tache en la tamponnant avec un linge de coton imbibé d'eau oxygénée à 20 volumes.

En cas de brûlure plus profonde, il faudra remplacer la surface brûlée.

DÉTACHER LES MOQUETTES ET TAPIS EN FIBRES ARTIFICIELLES ET SYNTHÉTIQUES

Les taches de graisse, fards, cirage, fuel et goudron

Il faut gratter délicatement l'excédent de la tache avec une cuiller ou une spatule. Une fois l'excédent ôté, il est conseillé d'appliquer sur la zone tachée un mélange de terre de Sommières et de perchloréthylène. Laissez sécher. Recommencez si nécessaire.

Les taches de peinture

Ôtez délicatement l'excédent puis tamponnez la tache restante avec un mélange de terre de Sommières et de trichloréthylène. Laissez sécher. Aspirez.

Les taches d'alcool, de vin, d'encre, de café, de thé, de sucre, de confitures, de sauces légères, de fruits et de légumes

Il faut éponger la tache avec du papier absorbant puis la tamponner avec un chiffon imbibé d'alcool et d'eau (1/4 d'eau, 3/4 d'alcool).

Les taches de chocolat

On les retire en les tamponnant avec un chiffon imbibé d'essence minérale ou de benzine puis avec de l'alcool à 90° dilué dans l'eau.

Les taches de sang

Si le sang est sec, il faut le gratter délicatement puis laver la zone tachée à l'eau froide.

Les taches d'excréments et de vomissures

Une fois l'excédent ôté, il faut tamponner la tache restante avec un chiffon imbibé d'eau minérale. Si la tache persiste, on doit la laver à l'eau savonneuse. Rincer. Laisser séchez.

Les taches de colle

Une fois l'excédent gratté et retiré, on doit tamponner la zone tachée avec un chiffon imbibé d'alcool à brûler ou avec le solvant préconisé par le fabricant.

Les taches de bougie

Une fois l'excédent retiré avec une spatule, il faut appliquer sur la zone tachée du papier absorbant et passer un fer chaud dessus. Si une trace subsiste, on peut l'éliminer avec de la benzine.

RECONNAÎTRE ET ENTRETENIR LES REVÊTEMENTS VÉGÉTAUX

Depuis quelques années, en revêtements de sol comme en tapis, les fibres végétales connaissent un véritable succès.

En emprisonnant l'air dans et entre leurs fibres, les revêtements végétaux sont de très bons isolants thermiques et phoniques.

Les fibres végétales sont de véritables régulateurs d'hygrométrie. Elles captent l'humidité pour la restituer quand l'air est trop sec.

Le sisal

Issu de l'agave, sorte de cactée subtropical, le sisal est la plus « sophistiquée » des fibres végétales. La structure de la fibre, souple, longue et brillante, la rend facile à filer. De ce fait, la moquette tissée est douce et régulière. Produit industriel fabriqués suivant des normes strictes, le sisal peut être préconisé pour des usages intensifs.

L'entretien courant du sisal se fait à l'aspirateur. Tous les six mois, un shampooing en poudre est recommandé. Laissez pénétrer puis passez l'aspirateur.

ATTENTION

• **Le sisal est sensible à l'eau et aux taches. S'il est mouillé, il faut bien l'éponger et le sécher avec un séchoir à cheveux, de la périphérie vers le centre pour éviter les auréoles.**

Un traitement anti-taches du type TexGuard permet d'améliorer sa résistance.

Le coco

Issue de la noix de coco, plus courte que le sisal, cette fibre a un filage plus grossier et plus irrégulier. Très résistant, le coco s'utilise dans de nombreux tissages à l'aspect rustique. Les revêtements en coco sont très isolants, imputrescibles et antibactériens. Il sont naturellement foncés, mais on peut les blanchir ou les teindre.

ATTENTION

• **Bien que le coco supporte mieux l'eau que le sisal, il est préférable de l'entretenir de la même façon.**

Le jonc de mer

Avec ses fibres lisses et douces, d'un aspect artisanal et irrégulier, d'une couleur chatoyante allant du jaune au vert, le jonc de mer séduit un large public.
Plus résistant que le sisal et le coco, il a besoin d'eau. Le passage régulier d'une serpillière humide lui redonne lustre et vigueur.

Les nattes en paille

On les entretient avec du lait cru.

Les nattes en raphia

On les nettoie avec de l'eau additionnée d'une cuiller à soupe de gros sel.

Les paillassons

On nettoie un paillasson avec de l'eau savonneuse additionnée d'ammoniaque (2 cuillers par litre d'eau).
On le rénove en le saupoudrant de marc de café encore humide. Laisser agir pendant une dizaine d'heures puis passer à l'aspirateur.

DÉTACHER LES TAPIS ET MOQUETTES EN FIBRES VÉGÉTALES

Les taches d'alcool, de bière, de Coca Cola et de café
On les retire avec du shampooing additionné d'eau et de vinaigre.

Les taches de miel et de confiture
On les élimine à l'aide d'un chiffon imbibé d'eau tiède

Les taches de graisse
On les fait disparaître en les tamponnant avec un chiffon imbibé d'alcool pur. Laissez évaporer, puis passez un autre chiffon imbibé d'eau savonneuse et de vinaigre blanc.

Les taches de beurre
On les retire en appliquant un chiffon blanc et propre puis en passant dessus un fer chaud (100°). L'eau savonneuse additionnée de vinaigre viendra à bout des taches restantes.

Les taches de sauce ou d'huile
Il est conseillé de passer dessus un chiffon imprégné de trichloréthylène. Si nécessaire, tamponner avec du shampooing dilué dans l'eau et du vinaigre.

Les taches d'œuf
On les fait disparaître en les tamponnant avec un chiffon imbibé d'eau savonneuse.

Les taches de chewing-gum
Il faut les faire durcir en passant dessus un sac

plastique empli de glaçons. Une fois durcies, on les retire à la spatule ou à la cuiller en respectant le sens de la fibre.

Les taches de rouge à lèvres
On les retire avec du shampooing additionné d'eau et d'alcool.

Les taches de boue
Il faut les laisser sécher, puis les brosser et passer l'aspirateur. Si cela ne suffit pas, tamponner les traces restantes avec un linge imbibé d'eau savonneuse et de jus de citron.

Les taches de colle pour tapis ou de vernis à ongles
Il faut les faire disparaître le plus vite possible à l'acétone ou à l'alcool et non au dissolvant.

Les taches de peinture à l'huile ou de laque
Surtout ne les frotter pas vigoureusement, mais les tamponner délicatement avec un chiffon imbibé de White Spirit.

Les taches de peinture au latex
Ne pas laisser sécher les taches : les éliminer avec du shampooing dilué dans l'eau, sécher, gratter et enfin brosser.

Le traitement anti-salissures et anti-taches du type TexGuard apporte à la moquette et au tapis un écran protecteur qui rend possible l'élimination des taches. Après le nettoyage, l'effet anti-taches étant éliminé, il faut à nouveau vaporiser le traitement TexGuard sur le tapis ou la moquette.
Bioclean de Viatick, non moussant, désinfectant, détachant, dégraissant et antistatique, est un bon produit nettoyant pour la moquette.

Sont également performants les produits bio de Spado : à base de micro-organismes, oligo-éléments et bactéries, ils « mangent » les taches tout en protégeant l'environnement.
Johnson propose aussi une gamme intéressante de produits pour la moquette.
Enfin, Sanytol-shampooing tapis-moquettes élimine les bactéries, dégraisse et retarde le réencrassement des fibres grâce à sa mousse suractivée conçue pour les shampouineuses, les appareils à injection-extraction et la désinfection.

DÉTACHER ET ENTRETENIR LES TAPIS EN FOURRURE

Les fourrures naturelles

Les étoles de vison ne supportent pas l'eau, les tapis en fourrure non plus. On les nettoie en passant dessus, dans le sens du poil, un chiffon imbibé de térébenthine.

Un chiffon imprégné d'une pâte composée de benzine et de talc fera des merveilles sur une peau d'ours blanche. L'enduire dans le sens du poil, laissez sécher puis brosser.

Les tapis en fourrure sont de véritables nids d'insectes. Au moins trois fois par an, on doit penser à les pulvériser d'insecticide.

les fourrures synthétiques

Une fourrure synthétique se traite comme de la laine. De l'eau savonneuse à peine tiède suffit pour la détacher.

11
Détacher et entretenir les meubles

Les différents bois, meubles en bois ciré, vitrifié, vernis, laqué, doré, teck, palissandre et ébène, bois blanc, peint, bambou, rotin ou paille, osier, verre ou miroir, altuglas ou plexiglas, stratifié ou plastique, métal

LES DIFFÉRENTS BOIS UTILISÉS POUR LE MOBILIER ET LA DÉCORATION

On en compte trois sortes : les bois tendres, les bois durs et les bois exotiques.

Les bois tendres
Ce sont par exemple le sapin, le pin, le douglas et le pitchpin.

Les bois durs
Ce sont par exemple le chêne, le hêtre, le frêne, le noyer, l'orme, l'érable ou le cerisier.

Les bois exotiques
Ce sont par exemple le teck, l'acajou, l'ébène ou le palissandre.

ATTENTION
• Les meubles en bois, surtout ceux qui sont précieux détestent la chaleur trop sèche. 18 à 19° leur conviennent parfaitement. Et surtout n'oubliez pas d'utiliser des humidificateurs d'air.
• Les meubles précieux doivent seulement être dépoussiérés. Tout accident est du ressort de l'ébéniste.

LES MEUBLES EN BOIS CIRÉ

On doit les encaustiquer une à deux fois par an et passer régulièrement dessus un chiffon de laine.

On nettoie une marqueterie très encrassée en passant dessus un chiffon imbibé d'un mélange d'ammoniaque et d'essence de térébenthine.

Les taches d'huile, de sauces, de café au lait et de chocolat
Si on agit tout de suite, il suffit d'absorber ces taches avec un linge ou du papier absorbant. S'il s'agit d'une tache ancienne, il faut appliquer dessus un mélange de terre de Sommières et de White Spirit. Séchez puis brossez.

Les taches de boue, de thé, de café, de vin et de boissons sucrées
On élimine ces taches à l'aide d'un chiffon imbibé d'eau et d'ammoniaque (1 cuillerée à soupe d'ammoniaque pour 5 cuillerées d'eau). Si la tache persiste, on peut la poncer doucement avec un peu de Cif. Essuyez puis cirez.

Les taches de sang
Si la tache est récente, il suffit de l'éponger ;

si elle est ancienne, il faut passer une éponge humide dessus. Rincez puis séchez.

Les taches d'excréments et vomissures
Il faut les essuyer, passer d'abord un chiffon sec et ensuite un autre imbibé d'eau froide. Essuyez de nouveau.
Si la tache persiste, on peut la frotter avec un bouchon de liège trempé dans de l'eau javellisée (1/3 d'eau de Javel pour 2/3 d'eau). Rincer d'abord avec de l'eau ammoniaquée puis ensuite avec de l'eau claire.
Si cela ne suffit toujours pas, poncer doucement la tache à la laine d'acier. Essuyer, encaustiquer et lustrer.

Les taches d'encre
Il faut les tamponner avec un chiffon imbibé d'alcool à 90° ou les; poncer légèrement avec du papier de verre. Encaustiquer puis lustrer.

Les taches d'eau
On les élimine en passant dessus un chiffon imprégné soit d'huile de lin, soit d'essence de térébenthine, soit encore de beurre. Massez jusqu'à pénétration complète. Laissez sécher puis cirez avec de la cire blanche additionnée de quelques gouttes d'huile de lin. Lustrez au chiffon de laine.

Les taches de bougie
On gratte délicatement la bougie solidifiée avec une cuiller, puis on passe sur la tache restante un chiffon imbibé d'un mélange à parts égales d'huile de térébenthine et d'huile de lin.

Les taches de rouille
Il faut les tamponner avec un chiffon imbibé d'antirouille.

Les taches de brûlures de cigarette
On les fait disparaître en grattant la brûlure avec du papier de verre d'un grain fin. L'opération achevée, le meuble dépoussiéré, il faut encaustiquer la zone tachée.

TRUCS ET ASTUCES
• On fait disparaître la résine qui coule d'un meuble en appliquant dessus un chiffon imbibé d'essence de térébenthine.

LES MEUBLES EN BOIS VITRIFIÉ

On nettoie un meuble en bois vitrifié, c'est-à-dire protégé par une couche de vernis polyester, en passant une éponge humide. Séchez immédiatement pour ne pas laisser de traces disgracieuses sur le meuble.

LES MEUBLES EN BOIS VERNIS

Si on agit dans l'instant, il suffit d'essuyer le meuble pour le détacher.
Mais si les taches se sont incrustées :

Les taches d'huile, de sauces, de café au lait et de chocolat
Il faut tamponner la zone tachée avec de la Popote d'ébéniste (chez Libéron) ou avec du thé froid jusqu'à la disparition de toute trace, puis polir avec une peau de chamois.
Le savon de Marseille appliqué sur un chiffon doux peut également être efficace.

Les taches de boue, de thé, de café, de vin et de boissons sucrées
On les retire en les tamponnant avec un chiffon imbibé d'un liquide composé d'1/3 d'huile d'olive, 1/3 d'alcool à brûler et 1/3 de térébenthine. Le détachage achevé, lustrer le meuble au chiffon de soie.

Les taches de sang
On les fait disparaître en passant dessus une éponge humide. Rincer et sécher.

Les taches d'excréments et vomissures
On les élimine avec de la Popote d'ébéniste (chez Libéron).

Les taches de brûlures de cigarette
On les retire en passant dessus un chiffon imprégné d'un mélange de 1/3 d'essence et de 2/3 d'huile de lin.

Les taches de bougie
On les élimine en frottant délicatement et en rond la tache de bougie solidifiée avec de l'eau chaude ou du pétrole.

Les taches grasses
Il faut passer dessus un chiffon imbibé de benzine ou d'essence minérale. Si la tache ne part pas, on peut essayer l'essence de briquet.

Les taches de rouille
On les ôte en les tamponnant avec un chiffon imbibé de produit anti-rouille. Rincer et sécher très rapidement pour ne pas abîmer le bois.

Les taches d'eau
On les fait disparaître en passant dessus un chiffon de laine imbibé d'un mélange à parts égales d'huile et d'alcool.

LES MEUBLES LAQUÉS

On détache et on entretient un meuble en laque synthétique en passant dessus un chiffon humide. Ne pas oublier d'essuyer aussitôt : un meuble en laque ne supporte pas l'eau.
On peut aussi passer dessus, avec des mouvements circulaires doux, un chiffon de soie imprégné d'une pâte composée d'1/3 d'huile de lin, d'1/3 d'essence de térébenthine et d'1/3 de farine.

LES MEUBLES EN BOIS DORÉ

Un chiffon imprégné d'un œuf battu en neige additionné de quelques gouttes de Javel fait des merveilles sur ces meubles.

Durabilité, solidité, sécurité… NF est le seul label qualitatif de l'ameublement. Il estampille des meubles qui ont fait l'objet de tests et de vérifications.

À NOTER
• Johnson propose d'excellents produits d'entretien pour les surfaces et les meubles en bois. De plus, respectant l'environnement, cette société inaugure un nouveau système de propulsion utilisant la force de l'air comme le serait un pneu grâce à une pompe à vélo.
« Bois Ancien » de la société Recherche et Traitements décrasse les vieux bois tout en leur conservant leur patine ancienne. La société Libéron propose des stylos feutres en plusieurs coloris qu'on peut utiliser directement sur le bois pour masquer les éraflures superficielles.

LES GARNITURES

Le marbre

On redonne son brillant à une garniture de marbre en la polissant avec un chiffon imprégné de pétrole.

Les taches d'eau

On les élimine en passant dessus un chiffon imprégné d'eau oxygénée.

En cas de taches rebelles, recommencez l'opération en ajoutant quelques gouttes d'eau de Javel. Laissez agir une heure. Rincez. Séchez.

Les taches grasses

On les fait disparaître avec de l'eau savonneuse ou de la terre de Sommières.

Le bronze

Il faut passer sur les bronzes encrassés des meubles un chiffon imbibé d'eau ammoniaquée (2 cuillerées à soupe d'ammoniaque pour 1 litre d'eau) On élimine les taches rebelles avec un chiffon imbibé d'alcool à brûler.

Les ferrures

On détache les ferrures d'un meuble à l'aide d'un chiffon blanc imprégné de pétrole.

Une fois détachées, on peut les protéger des salissures en les cirant avec une cire incolore.

LES MEUBLES EN TECK, PALISSANDRE ET ÉBÈNE

Les meubles en teck détestent la cire. On les entretient à l'huile de teck.

Les taches d'origine inconnue sur le teck disparaissent si on passe dessus un chiffon imprégné d'essence de térébenthine.

Les taches d'huile, de sauces, de café au lait et de chocolat

On les élimine en appliquant dessus une pâte à base de terre de Sommières et de White Spirit.

Les taches de boue, de thé, de café, de vin et de boissons sucrées

Pour les faire disparaître, il suffit de passer une éponge essorée dessus.

Les taches de sang

On les élimine en les essuyant, puis en passant sur les traces restantes une éponge humide. Sécher.

Les taches d'excréments et vomissures

Une fois les taches sèches, il faut poncer le bois puis passer dessus un chiffon imbibé de quelques gouttes d'huile de lin.

Les taches de rouille

Il faut faire un essai avec un anti-rouille vendu dans le commerce. L'opération terminée, rincer la zone détachée et passer dessus un chiffon imbibé de quelques gouttes d'huile de lin.

LES MEUBLES EN BOIS BLANC

On blanchit un meuble en bois blanc en le frottant avec de l'eau javellisée.

On peut également le détacher en frottant vigoureusement les taches avec une brosse à chiendent trempée dans de l'eau javellisée, ou en le frottant avec une brosse imbibée de savon noir diluée dans de l'eau chaude.

Si les taches persistent, il faut alors utiliser du papier de verre.

ATTENTION

• **On frotte toujours un meuble avec du papier de verre dans le sens du bois.**

Les taches de graisse

On les retire en passant dessus une brosse imbibée d'essence à briquet.

Les taches de peinture

On les élimine en utilisant (avec précaution) un produit pour décaper les fours. Laissez agir 1/4 d'heure et essuyez. Protégez vos mains avec des gants de caoutchouc !

LES MEUBLES EN BOIS PEINT

De l'eau savonneuse chaude ou de l'eau additionnée de Javel ou d'ammoniaque suffisent pour détacher un meuble en bois peint.
On peut redonner de l'éclat à un meuble en bois peint en le polissant avec un chiffon imprégné de quelques gouttes d'huile de lin.

LES MEUBLES EN BAMBOU

On nettoie ces meubles avec un peu d'eau chaude additionnée de lessive Saint-Marc (5 cuillerées à soupe pour 1 verre d'eau) et d'1 cuillerée d'ammoniaque.
On les fait briller en les massant avec de l'huile de lin.

S'ils sont ternis, vous pouvez leur redonner l'éclat du neuf en passant dessus un chiffon imbibé d'un mélange composé d'1 litre d'eau chaude, de 3 cuillers à soupe d'huile de lin et d'1 cuiller à soupe d'essence de térébenthine.

LES MEUBLES EN ROTIN OU EN PAILLE

La lessive Saint-Marc, l'eau de son (voir recette page 42) ou encore de l'eau citronnée (2 cuillers à soupe par litre) sont des produits parfaits pour le rotin ou la paille. N'oubliez pas de rincer et de sécher.

Si votre meuble en rotin vous semble terne, vous pouvez lui redonner un nouvel éclat en appliquant dessus un chiffon imbibé d'1 litre d'eau froide additionnée de 4 cuillers à soupe d'eau oxygénée à 15 volumes. N'oubliez pas de rincer. Une fois le meuble sec, faites-le briller en passant dessus un chiffon imbibé d'huile de lin.

Pour le protéger des salissures, vous pouvez l'enduire de vernis. Résultats garantis !

LES MEUBLES EN OSIER

On les détache en passant dessus un chiffon imbibé d'eau tiède additionnée de sel marin ou d'eau vinaigrée.
On lui redonne une nouvelle jeunesse à un meuble en osier très encrassé avec de l'eau citronnée.

LES MEUBLES EN VERRE ET LES MIROIRS

En principe, un produit pour vitre suffit, mais si ce meuble est très encrassé, on doit passer dessus une feuille de papier journal roulée en tampon et imbibée d'alcool à brûler.
Un mélange d'alcool dénaturé, de vinaigre blanc et d'eau (1 verre d'alcool et 1 verre de vinaigre pour un seau d'eau) donne également de bons résultats.

Les traces de doigts sur les meubles en verre ou en miroir s'éliminent à l'aide d'un chiffon imbibé d'eau additionnée d'ammoniaque.

LES MEUBLES EN ALTUGLAS OU PLEXIGLAS

Il est conseillé d'éviter d'utiliser des solvants sur ce genre de meubles. L'eau savonneuse n'est pas non plus recommandée. Il vaut mieux utiliser un produit pour vitres.

LES MEUBLES EN STRATIFIÉ OU PLASTIQUE

Ces meubles ne supportent ni éponges, ni poudres abrasives. Il est conseillé de les laver à l'eau savonneuse. Rincez et essuyez aussitôt pour éviter toutes traces disgracieuses.
Les produits pour vitres donnent également de bons résultats.

LES MEUBLES EN MÉTAL

De l'eau savonneuse suffit. Une fois le meuble détaché, n'oubliez pas de le rincer et surtout de l'essuyer.

Si le meuble est très encrassé, il vaut mieux consulter le chapitre 18 : « Détacher et entretenir le métal ».

LES MEUBLES EN FER FORGÉ

On nettoie un meuble en fer forgé très encrassé avec de l'eau savonneuse additionnée d'ammoniaque (1 cuiller à soupe pour 1 litre d'eau).

Le meuble nettoyé, on peut le protéger en l'encaustiquant à la cire blanche.
Si le meuble se trouve à l'extérieur, il est préférable de l'enduire d'une couche de vernis.

12

Détacher et entretenir les sièges

Sièges recouverts de tissu, de velours, de tissu enduit, d'alcantara, de cuir et de daim, chaises longues, cannées et en paille

On dépoussière les sièges recouverts de tissus par battage, brossage ou aspiration mécanique, mais également à l'aide d'un aspirateur injection-extraction ou d'une machine à vapeur sous pression (voir chapitre 4 : « L'équipement de la maison »).

L'aspiration par injection-extraction est exécutée à l'aide d'une machine qui pulvérise sur le revêtement du siège une solution détergente qu'elle aspire rapidement.
Si cette méthode donne de bons résultats, il faut cependant prendre quelques précautions :
• procéder à un dépoussiérage à fond ;
• faire un essai pour voir s'il ne se produit pas des modifications d'aspect du tissu (dégorgement des colorants, atténuation des impressions, peluchage des étoffes à fibres lâches, remontées d'encre de certains stylos marqueurs utilisés lors de la confection du siège, perte de brillance ou de moirage, en particulier des fibres de cellulose…) ;
• rechercher la nature des fibres, surtout s'il s'agit d'un velours (si on est en présence de fibres de cellulose, il est conseillé de ne pas les mouiller) ;
• protéger les bois apparents ou tout élément décoratif ;
• fermer les fermetures à glissière des coussins.

Afin d'éviter des auréoles, il faut toujours traiter l'ensemble du siège et pas seulement la zone tachée.

S'il s'agit d'un revêtement duveteux, il ne faut pas oublier de le travailler dans le sens de son couchant.

Il est également recommandé de passer et de repasser le suceur pour bien aspirer l'eau.
Après cette opération, l'effet anti-taches est éliminé. Il est donc conseillé de procéder à un nouveau traitement.

Le nettoyage-vapeur sous pression a pour but de désagréger les poussières et d'extraire des textiles les anciens résidus d'anciens détergents. Il pose quelques problèmes sur les sièges recouverts de tissus. Avant de se servir de cette machine, on doit donc impérativement :
• faire un essai préliminaire sur un coin caché afin de vérifier tout changement d'aspect (couleurs, impressions, rétrécissement) ;
• dépoussiérer totalement le siège ;
• protéger les armatures et les pieds en bois, les pièces métalliques ainsi que tout autre élément décoratif ;
• utiliser un débit de vapeur minimal ;
• ne pas insister sur la même zone pour ne pas trop la mouiller et éviter les auréoles.

ATTENTION

• Si la vapeur dissout certaines taches et permet le décollement des salissures pigmentaires, elle n'a d'effet que sur les étoffes peu encrassées.

• Certaines taches à base de protéines et de tanins peuvent se fixer définitivement sous l'effet de la vapeur.

• L'aspect glacé du chintz ou du satin disparaît.

• Il ne faut surtout pas traiter les tissus craignant l'eau, en particulier le velours en fibres acryliques, modracryliques et en chlorofibres.

Après le nettoyage-vapeur, il est conseillé de brosser les textiles duveteux.

Après le nettoyage-vapeur l'anti-taches est éliminé. Il faut donc procéder à un nouveau traitement.

LES SIÈGES RECOUVERTS DE TISSU

Le dépoussiérage des sièges recouverts de tissus s'effectue à l'aspirateur ou par battage, c'est à dire à l'aide d'une tapette ou de la main, jamais avec un chiffon.

Certains aspirateurs disposent d'une puissance d'environ 500 à 600 Watts, idéale pour dépoussiérer les sièges.

Si les salissures ne s'éliminent pas à l'aspirateur, il ne faut pas hésiter à faire appel à un professionnel.

Les sièges déhoussables

La première chose à faire est de retirer la housse et de la nettoyer entièrement pour éviter la formation des auréoles. Ensuite, il faut insister sur les taches en se référant au chapitre 5 : « Détacher et entretenir les textiles ».

Les sièges non déhoussables

Avant de nettoyer un siège non déhoussable, on doit vérifier que le garnissage du siège permet l'utilisation d'un détachant, surtout s'il s'agit de mousses alvéolaires ou de rembourrage en crin.

Pensez également à protéger les armatures de bois, les boutons métalliques ou en plastique du siège, ainsi que tout autre élément décoratif.

Et surtout, faites un essai préliminaire avec le détachant sur un endroit caché, en faisant attention au dégorgement des couleurs, au rétrécissement, au lustrage, à la perte de tenue ou au boulochage du tissu.

Si l'essai préliminaire est concluant, frottez doucement le tissu avec un chiffon sec imprégné de solvant.

LES SIÈGES RECOUVERTS DE VELOURS

Pour améliorer l'aspect d'un siège recouvert de velours, il faut le brosser doucement, avec précaution et dans le sens du couchant du tissu.

On peut tenter d'éliminer les taches de graisse sur le velours en appliquant dessus des tranches de pain grillé encore chaud.

ATTENTION

• Si certains fers à vapeur munis d'une brosse améliorent le gonflant du velours et atténuent les phénomènes de miroitement, cette opération est à proscrire sur le velours acrylique.

LES SIÈGES RECOUVERTS DE TISSU ENDUIT

Tissé, tricoté ou non tissé, le tissu est recouvert d'une ou plusieurs couches de polymère, par enduction, doublage ou collage. Sur les sièges tapissés de tissu enduit, la plupart des taches s'éliminent avec un chiffon imbibé d'eau savonneuse soigneusement essoré. Rincez puis séchez.

ATTENTION

• **Sous peine de le détériorer, il ne faut pas frotter trop fort et surtout pas à sec un tissu enduit, ni utiliser de poudre à récurer ou d'éponges abrasives.**

• **Les tissus enduits ne supportent pas non plus les solvants pétroliers et chlorés, l'alcool, les produits pour vitres et les anti-poussières en aérosol.**

LES SIÈGES RECOUVERTS D'ALCANTARA

L'alcantara se traite comme un textile d'ameublement. Après le détachage, il est conseillé de lui passer une brosse souple afin de lui rendre son côté duveteux.

LES SIÈGES RECOUVERTS DE CUIR

Les différents cuirs

Le cuir pleine fleur est un cuir ayant conservé sa surface d'origine : son grain naturel et ses rides sont apparents, lui conférant un aspect et un toucher naturel… et un prix élevé !

Le cuir fleur rectifié ou corrigé pigmenté est un cuir dont la fleur a été poncée et qui a reçu une protection pigmentée. D'un prix moyen, ce cuir est protégé contre la salissure et d'un entretien aisé.

La croûte de cuir pigmentée est un cuir à l'origine épais qui a été séparé en deux feuilles

par refente et n'a pas vraiment le droit à l'appellation cuir. Il a un aspect fibreux. On l'utilise peu en ameublement.

Le nubuck est un très beau cuir qui a subi un ponçage spécifique lui conférant un toucher velouteux très agréable. Son prix est élevé et son entretien nécessite l'intervention d'un spécialiste.

Le cuir aniline est un cuir traité avec une substance chimique ayant servi à la fabrication des colorants de synthèse.

La finition aniline est une finition transparente à base de colorants, et **la finition semi-aniline** est une finition pigmentée où l'on a appliqué une finition transparente à base de colorants créant un contraste, appelée « deux tons ».

La finition sauvage correspond à des cuirs ayant un aspect et un toucher très naturels en raison d'un manque de finition. Mais bien que très répandu, ce terme n'a pas été retenue par la législation.

Les appellations courantes du cuir

Bien qu'elles soient très utilisées, aucune d'elles n'a été officiellement reconnue.

L'aspect naturel se dit d'un cuir de couleur claire à la teinte uniforme.

L'aspect sauvage évoque un cuir nuancé en surface formant ombrage.

L'aspect glacé se dit d'un cuir qui brille d'une teinte uniforme.

L'aspect massif concerne les cuirs ayant toujours leur épaisseur d'origine.

Le cuir teint dans la masse a été teint à l'envers comme à l'endroit.

Le cuir pleine peau n'a pas été refendu dans son épaisseur.

LES SIÈGES RECOUVERTS DE CUIR LISSE

On dépoussière un siège recouvert de cuir de bord à bord ou de couture à couture. L'usage d'aérosol anti-poussière est à déconseiller.

Si on agit immédiatement, la plupart des taches non grasses des cuirs lisses s'essuient avec un chiffon propre imprégné d'eau ou avec une peau de chamois humide.

Cependant, certaines taches auront pu s'incruster :

Les taches de graisse récentes, de sueur et de sébum
On les retire en les saupoudrant de talc ou de terre de Sommières. Après avoir attendu plusieurs heures, on brosse la zone détachée. Si la tache persiste, recommencer l'opération.

Les taches d'encre et de stylo à bille
On les fait disparaître en appliquant sur le trait un coton-tige imbibé d'un mélange d'1/4 d'eau et de 3/4 d'alcool.

Les taches de fumée, de peinture à l'eau ou de boue
On les élimine en les tamponnant avec un chiffon imbibé d'eau savonneuse.

ATTENTION
• Il est impératif d'appliquer le produit détachant sur une partie cachée du siège afin de s'assurer que son action ne modifie pas la couleur et la brillance du cuir. Si la couleur du cuir se retrouve sur le chiffon, il est conseillé de cesser immédiatement le nettoyage.

• Sous peine de provoquer des dommages irréparables, il ne faut pas trop frotter un siège revêtu de cuir, ni trop humidifier les cuirs pleine fleur pure aniline.

Les taches de lait
On les retire en passant dessus un chiffon imprégné d'eau ammoniaquée à 28 %.

Les taches de peinture aux solvants
L'essence de térébenthine les fait disparaître.

Les taches d'urine, d'alcali et de produits alcalins
On les ôte en les tamponnant avec un chiffon humide.

Les taches de sang
On les élimine avec un chiffon imprégné de vinaigre blanc ou d'acide acétique dilué dans l'eau.

Les taches de sucre et d'aliments sucrés
On les fait disparaître en passant dessus un chiffon imbibé d'un mélange de 9/10e d'eau et de 1/10e d'alcool.

Les taches d'alcool, de vin, de café ou de thé
On les retire en passant dessus un chiffon imbibé d'un mélange à parts égales d'eau et d'alcool.

Les taches de bougie et de cirage
Après avoir raclé doucement la tache avec une spatule en bois ou une cuiller, il faut tamponner la zone tachée avec un chiffon imbibé d'essence minérale.

TRUCS ET ASTUCES

• Le blanc d'œuf battu en neige donne de bons résultats sur les cuirs lisses.
La bière aigre chaude (mais non bouillante) aussi : versez de la bière dans un récipient ouvert et laissez-la plusieurs jours près d'une source de chaleur.

La marque Avel offre des produits performants pour les sièges en cuir, parmi lesquels un savon nettoyant régénérant qui nettoie les cuirs sales et encrassés, une cire surfine en aérosol et un baume rénovateur qui nourrit le cuir en profondeur.

LES SIÈGES RECOUVERTS DE DAIM

On nettoie le daim en le frottant doucement avec une brosse en crêpe imbibée d'un mélange à parts égales d'eau et d'ammoniaque.
Les plaques brillantes du daim disparaissent en les frottant délicatement avec du papier de verre. Choisissez le grain le plus fin.

On brosse le cuir velouté avec une éponge sèche ou une brosse à daim.

LES CHAISES LONGUES

Si l'on ne peut démonter la toile, il est conseillé de la brosser avec de l'eau savonneuse ammoniaquée. Rincez. Séchez.

LES CHAISES CANNÉES

Les taches graisseuses se retirent à l'aide d'un chiffon imbibé d'essence de térébenthine.

TRUCS ET ASTUCES

• Si le cannage de votre chaise est détendue, vous pouvez tenter de le resserrer en l'imbibant d'eau froide.

LES CHAISES EN PAILLE

La paille se nettoie avec de l'eau froide salée (4 cuillerées de gros sel pour 1 litre d'eau).

Il est impératif d'appliquer le produit détachant sur une partie cachée du siège afin de s'assurer que son action ne modifie pas la couleur et la brillance du cuir. Si la couleur du cuir se retrouve sur le chiffon, il est conseillé de cesser immédiatement le nettoyage.
Sous peine de provoquer des dommages irréparables, il ne faut pas trop frotter un siège revêtu de cuir, ni trop humidifier les cuirs pleine fleur pure aniline.

La marque Avel offre des produits performants pour les sièges en cuir, parmi lesquels un savon nettoyant régénérant qui nettoie les cuirs sales et encrassés, une cire surfine en aérosol et un baume rénovateur qui nourrit le cuir en profondeur.

13

Détacher et entretenir les chambres et le salon

Voilages, doubles rideaux, literie, luminaires, cadres, gravures, affiches, tableaux, tapisseries, vitres, miroirs, livres, piano, cheminée, cendriers, cartes à jouer, téléphone, télévision, ordinateur, disques et CD, lunettes et étuis à lentilles

LES VOILAGES

Les voilages non lavables

Les voilages non lavables doivent être confiés au teinturier.

Les voilages en fibres naturelles

Ils peuvent se laver à l'eau chaude et même bouillante quand ils sont blancs. Une javellisation légère est autorisée si l'opération est suivie d'un rinçage.
Légèrement amidonnés, ils se repassent facilement au fer chaud.
Les voilages en lin se repassent humides.
Les voilages en coton traité ne s'essorent pas et ne se repassent qu'à peine.

Les voilages en fibres artificielles ou synthétiques

Ils se lavent très bien à l'eau tiède à condition de ne pas les tordre.
On peut également les laver à la machine en choisissant un programme doux sans essorage. Il faut les égoutter sur une barre la plus haute et la plus large possible afin que le tissu ne se froisse pas, et les replacer encore humides sur les tringles sans les repasser.

Certains produits comme « Rémy Voilages », « Rénovateur de Voilages » chez Spado, ou « Idéal blanc » redonnent aux voilages leur apprêt initial et ravivent leur couleur blanche.

LES DOUBLES RIDEAUX

Ils méritent un dépoussiérage mensuel à l'aspirateur (voir chapitre 5 : « Détacher les textiles »).

ATTENTION
• Certains tissus utilisés pour les doubles rideaux sont extrêmement fragiles. En cas de doute, avant de les détacher, il vaut mieux faire appel à un spécialiste.

LA LITERIE

Les sommiers et les matelas

Refuge privilégié des mites et des acariens, les sommiers doivent être passés au moins deux fois par mois à l'aspirateur. Profitez de l'occasion pour changer le matelas de sens ou le retourner.

Les taches de sang

On les élimine à l'aide d'un chiffon imbibé de vinaigre d'alcool. Pensez à rincer et à sécher. On peut également utiliser de l'ammoniaque à 28 %, puis éventuellement de l'eau oxygénée. Une tache de sang rebelle disparaît avec de l'acide tartrique.

Les taches d'alcool et de vin

On les fait disparaître en les tamponnant avec un chiffon imbibé d'eau et de liquide-vaisselle. Si les taches persistent, utilisez un mélange à parts égales d'eau et alcool. Rincez. Séchez. On peut également frotter ces taches avec un peu de savon de Marseille sec. Laissez agir quelques heures, puis rincez.

Les taches de beurre ou de matières grasses

On les retire avec soit avec de l'eau savonneuse, soit avec un solvant comme le trichloréthylène. La poudre de terre de Sommières donne également de bons résultats sur les taches récentes.

Les taches de bougie

Grattez tout d'abord délicatement la bougie avec une spatule ou une cuiller, ensuite placez un buvard sur la tache restante et passez un fer chaud dessus.
S'il reste une tache grasse, appliquez dessus un chiffon humecté de benzine. Pensez à rincer et à sécher.

Les taches de café ou de thé

On les élimine en passant dessus un chiffon imbibé d'un mélange eau-alcool à parts égales. Le perborate de sodium peut également éliminer les taches de café, de thé ou de fruits. Un mélange à parts égales de vinaigre blanc et d'alcool à 90° est aussi très efficace. Pensez à rincer et à sécher.

Les taches de chocolat

Si les taches ne partent pas à l'eau froide, on peut tenter de les éliminer en les frottant avec un chiffon de coton imbibé de benzine ou d'alcool. Pensez à rincer et à sécher.

Les taches de cirage ou de cire

Ôter l'éventuel excédent avec une spatule ou une cuiller, puis éliminer les taches avec de la benzine, de la térébenthine ou du White Spirit.

Les taches de colle de menuisier

Elles se nettoient à l'eau tiède. Rincer. Sécher. Si les taches persistent, après avoir ôté l'excédent, les tamponner à l'alcool à brûler ou avec un solvant préconisé par le fabricant.

Les taches d'encre de stylo bille, de rouge à lèvres ou de fards

L'alcool à 90° est très efficace pour faire disparaître ce type de taches.
L'eau additionnée de vinaigre d'alcool donne également de bons résultats. Pensez à rincer et à sécher.

Les taches de rouille

Elles disparaissent à l'aide d'eau additionnée de quelques gouttes d'acide chlorhydrique. Rincez aussitôt.
Le sel d'oseille et le jus de citron sont également efficaces. N'oubliez de rincer immédiatement la zone humectée de produit.

Les taches de roussi

Il faut frotter les parties jaunies avec un chiffon blanc imbibé d'un mélange d'eau froide et d'eau oxygénée à 10 volumes. Pensez à rincer et à sécher.

Les taches de fruits ou de légumes

On les fait disparaître avec un chiffon imprégné d'un mélange à parts égales d'eau et d'alcool, puis avec de l'acide acétique (25 %). L'eau javellisée est également très efficace.

Si la tache persiste, on peut essayer de la décolorer avec de l'eau oxygénée à 10 volumes. Ne pas oublier de rincer aussitôt.

Les taches de lait
On les élimine avec de l'ammoniaque à 28 %.

Les taches de peinture
Une fois l'excédent de la tache retiré délicatement avec la lame d'une spatule, tamponner la trace restante avec un chiffon imprégné de solvant variant selon le type de peinture. En cas de taches rebelles, on peut recourir à de la matière grasse comme le saindoux. Laissez agir plusieurs heures puis détachez avec un mélange d'essence minérale et d'éther sulfurique. Pensez à rincer et à sécher.

Les taches d'urine, de sueur, d'excréments et de vomissures
Si on n'a pas la possibilité de rincer tout de suite ces taches à l'eau tiède, on peut les faire disparaître avec de l'ammoniaque à 28 %. Il est également possible de passer sur la tache un chiffon imbibé d'eau oxygénée. Pensez à rincer et à sécher.

Les taches de sébum
L'essence minérale ou l'eau ammoniaquée donnent de bons résultat. La terre de Sommières absorbe également les taches de sébum. Laissez agir. Brossez doucement, puis lavez et séchez.

Les taches de sucre et d'aliments sucrés
Elles disparaissent avec de l'eau tiède.

Les taches de brûlures de cigarette
On peut tenter de les éliminer en passant dessus un chiffon imbibé d'eau oxygéné à 20 volumes. Rincez à l'eau javellisée puis à l'eau tiède.

Les taches de nicotine
On les élimine avec de l'alcool à 90°. Pensez à rincer et à sécher.

Les taches de vernis à ongles
On les retire avec de l'acétone ou de l'acétate d'amyle, surtout pas avec du dissolvant. Pensez à rincer et à sécher.

Les taches d'humidité
On les ôte en les frottant avec une pâte composée d'un jus de citron, de 30 g de savon blanc râpé, de 30 g d'amidon et de 15 g de sel fin.

Les taches de moisi
Elles disparaissent avec de l'eau additionnée d'ammoniaque. Pensez à rincer et à sécher.

Les taches d'insectes
Tamponnez ces taches avec un chiffon imbibé d'eau javellisée.

Les oreillers en duvet

On les détache comme n'importe quel textile (voir le chapitre 5 : « Détacher les textiles ») et on les lave dans la baignoire à l'eau savonneuse.
Pour leur rendre leur gonflant, n'hésitez pas à vous en servir comme pushing-ball : tapez dedans !

Les oreillers en matière synthétique

On le lave à la machine.

LES LUMINAIRES

Les abat-jour en tissu

Tout d'abord, il faut déloger la poussière. Mieux qu'un aspirateur, il est conseillé d'utiliser un séchoir à cheveux.

Les taches grasses disparaissent avec un peu de terre de Sommières. Laissez pénétrer, puis à l'aide d'un chiffon propre, tamponnez la tache avec un peu de liquide-vaisselle, rincez et laissez sécher.

Si les taches ne partent pas, essayez de les tamponner avec un chiffon imbibé de trichloréthylène.

Les abat-jour en papier ou en carton

Les traces de salissures
On les élimine à l'aide d'une gomme douce et molle ou de mie de pain.

Les taches de moisissure
On les retire à l'aide d'un coton-tige imbibé d'eau et d'eau de Javel (5 volumes d'eau dilués dans 1 volume d'eau de Javel).

Les taches de roussi
On les élimine de la même façon, avec en plus quelques gouttes d'eau oxygénée. Ne pas oublier de rincer et d'essuyer délicatement.

Les taches d'encre
On les fait disparaître en passant dessus un coton-tige imprégné d'eau oxygénée à 12 volumes.
L'acide chlorhydrique donne également de bons résultats. Pensez à rincer et à sécher.

Les taches de graisse
On les élimine en les saupoudrant d'amidon en poudre ou de terre de Sommières. Laissez agir une nuit. Le matin, brossez délicatement.

Les abat-jour en parchemin

Il est conseillé de les nettoyer avec de l'eau additionnée de vinaigre blanc.
Un abat-jour très encrassé doit être frotté avec un chiffon imbibé d'un blanc d'œuf battu.

Les taches de graisse se gomment avec de la mie de pain.

Les abat-jour en paille ou en raphia

On les nettoie à l'eau salée.

Les abat-jour en rhodoïd

On les détache en passant dessus une éponge humectée d'eau savonneuse.

Les abat-jour en opaline, en verre ou en matière plastique

On les lave à l'eau détergente tiède.

Les abat-jour en aluminium

On les frotte à la peau de chamois (voir chapitre 16 : « Détacher et entretenir le métal »).

Les abat-jour en acier inoxydable

Il est conseillé de ne pas les frotter mais de les laver à l'eau détergente tiède. Une fois rincés et essuyés, passer dessus un chiffon doux imprégné de quelques gouttes de glycérine, et les polir à la peau de chamois.
Voir aussi le chapitre 16 : « Détacher et entretenir le métal ».

Les pieds de lampe

Voir le chapitre 17 : « Détacher et entretenir les bibelots ».

Les lustres

On nettoie le cristal avec un chiffon imbibé d'alcool à brûler, et le cuivre doré et le métal chromé à l'eau alcoolisée (pour 1 litre d'eau, 1 cuillerée à soupe d'alcool à brûler).

Les ampoules

Après avoir éteint la lampe et retiré l'ampoule refroidie, il faut passer dessus un chiffon imbibé d'eau additionnée de quelques gouttes d'alcool à brûler.

ATTENTION

• Ne jamais s'attaquer à une lampe ou à un lustre sans avoir coupé l'électricité.
• Penser à déplacer l'escabeau autour du lustre.
• Surtout ne tournez jamais une suspension : la fixation risquerait de se rompre.
• Évitez de toucher une ampoule halogène les mains nues. Passez dessus un chiffon doux et sec.

LES CADRES

Les cadres en bois doré

On les détache avec un chiffon imbibé d'eau vinaigrée ou d'eau additionnée de savon de Marseille.

TRUCS ET ASTUCES

• On peut entretenir un cadre en bois doré en passant dessus un pinceau imbibé d'une préparation de 2 blancs d'œufs additionnée goutte à goutte d'une cuillerée à café d'eau de Javel. Polir au chiffon doux.

Les cadres laqués

On détache un cadre laqué avec de l'eau savonneuse. Rincez. Séchez.
Les taches rebelles se frottent avec de l'eau javellisée (1 à 2 gouttes d'eau de Javel dans un verre d'eau).

LES GRAVURES

Tout d'abord, il faut la nettoyer. Pour cela, il faut la retirer de son cadre, la poser bien à plat sur une table puis la saupoudrer de talc à l'aide d'une houppette. Après quelques minutes, on peut la renverser. S'il reste du talc, passez un morceau de coton dessus.
Maintenant que votre gravure est impeccable, vous pouvez retirer les traces de doigts en les frottant avec de la mie de pain souvent renouvelée.

LES AFFICHES

Pour protéger une affiche sans grande valeur marchande et non recouverte par une plaque de verre, on peut passer dessus, au pinceau, une fine couche de vernis à l'alcool additionné d'un peu de siccatif.

LES TABLEAUX À L'HUILE

Tout d'abord, on les dépoussière en passant dessus un chiffon de soie. S'ils sont très sales, on peut remplacer le chiffon par une éponge humide ou par une pomme de terre crue coupée en rondelle. Essuyez immédiatement avec un linge absorbant.
Sous peine de provoquer des dommages irréparables, il vaut mieux éviter de renouveler trop souvent l'opération.
S'il s'agit d'un tableau de valeur, confiez-le à un spécialiste !

LES TAPISSERIES

Les tapisseries s'entretiennent et se détachent comme les tapis : voir chapitre 10 : « Détacher et entretenir les moquettes et tapis ».
Il faut toujours les brosser dans le sens du tissage. Pensez à les protéger avec un antimite.

LES VITRES ET LES MIROIRS

Vitres et miroirs se nettoient de la même façon. Avant de s'attaquer aux vitres, il faut d'abord les dépoussiérer et ensuite nettoyer l'encadrement. On lave l'extérieur, de haut en bas et de gauche à droite, puis l'intérieur. Ne les lavez jamais par beau temps : le produit sèche trop vite au soleil et s'élimine difficilement. Le papier journal roulé en tampon et imbibé d'alcool à brûler peut être très efficace.

Si les vitres sont très sales, vous pouvez utiliser une pâte composée d'1/3 de blanc d'Espagne, d'1/3 d'eau et d'1/3 d'alcool à brûler. La pâte séchée, il faut frotter les vitres avec un chiffon.

On peut également se servir d'un mélange d'alcool dénaturé, de vinaigre blanc et d'eau (1 verre d'alcool et 1 verre de vinaigre pour un seau d'eau).

Les traces de doigts ou de graisse

Elles s'éliminent avec de l'eau ammoniaquée.

Les traces de mouches

On les fait disparaître avec un chiffon imbibé d'eau ammoniaquée (2 cuillers à soupe d'ammoniaque pour 1 litre d'eau). Si besoin est, on peut compléter ce détachage avec de l'alcool à brûler.

TRUCS ET ASTUCES

• Pour éviter la buée sur les miroirs, passer un chiffon imbibé de quelques gouttes de glycérine.

LES LIVRES

On nettoie une reliure en cuir en passant dessus un chiffon imbibé d'eau vinaigrée.

On rend sa souplesse à une reliure en l'enduisant d'huile d'amande douce.

Un blanc d'œuf battu additionné de quelques gouttes de vinaigre rénove également les reliures défraîchies.

Les taches d'eau sur la couverture d'un livre cartonnée

On les fait disparaître en intercalant 2 feuilles de papier buvard ou 2 feuilles de papier absorbants entre la couverture et en passant un fer tiède ou chaud sur l'une des feuilles.

Les taches de moisissure sur le papier

On les élimine à l'aide d'un coton-tige imbibé d'eau et d'eau de Javel (5 volumes d'eau pour 1 volume d'eau de Javel).

Les taches de roussi sur le papier

Elles se retirent à l'aide d'un coton-tige imbibé d'eau javellisée additionnée de quelques gouttes d'eau oxygénée. Ne pas oublier de rincer et d'essuyer délicatement.

Les taches d'encre sur le papier

On les fait disparaître en passant dessus un coton-tige imprégné d'eau oxygénée à 12 volumes.

L'acide chlorhydrique donne également de bons résultats. Pensez à rincer et à sécher.

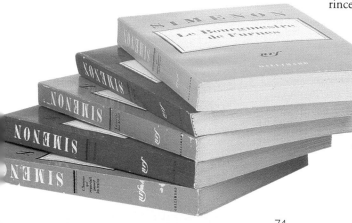

Les taches de graisse sur le papier
On les élimine en les saupoudrant d'amidon en poudre ou de terre de Sommières. Laissez agir toute la nuit. Le matin, brossez délicatement le papier pour le débarrasser de la poudre.
On peut également intercaler 2 buvards neufs entre la feuille de papier tachée, puis passer un fer chaud sur l'un des buvards.
Le K2R en aérosol est aussi très efficace.

Le papier piqué
On le détache en passant dessus un coton-tige imprégné d'un mélange composé de 3/4 d'eau et d'1/4 d'eau oxygénée additionnée de quelques gouttes d'ammoniaque.

LE PIANO

On nettoie les touches d'ivoire du piano avec de l'alcool, et les touches noires avec de la térébenthine.

LA CHEMINÉE

On nettoie une cheminée en brique encrassée par la suie avec de l'eau tiède additionnée d'un détergeant du type Cif.

TRUCS ET ASTUCES
• On peut protéger une cheminée propre et ses accessoires en les encaustiquant à la cire incolore.

On peut brosser les accessoires de cheminée à l'eau savonneuse, mais s'ils sont très encrassés, il est conseillé de les faire tremper 24 heures dans du pétrole. Après cette opération, il ne faut pas oublier de les rincer à l'eau claire et de les sécher.

On élimine les traces noirâtres des murs provoquées par les feux de cheminée en les frottant avec une éponge imbibée d'eau javellisée additionnée de poudre abrasive.

ATTENTION
• **N'oubliez surtout pas de faire ramoner votre cheminée chaque année : votre assurance l'exige. N'oubliez pas aussi qu'il est interdit d'allumer un feu dans une cheminée à Paris.**

LES CENDRIERS

On retire les traces de nicotine en les frottant avec un chiffon et du sel fin. On peut également utiliser un citron coupé en deux.

LES CARTES À JOUER

On retire les traces de doigts avec de la mie de pain.
Si vos cartes sont très graisseuses, vous pouvez passer dessus un chiffon imbibé d'ammoniaque : elles retrouveront leur jeunesse.

LE TÉLÉPHONE, LA TÉLÉVISION ET L'ORDINATEUR

Il est conseillé de passer dessus un chiffon imbibé d'eau alcoolisée.

ATTENTION
- **On ne doit jamais nettoyer le coffre d'un ordinateur avec des produits chimiques comme l'essence ou les diluants.**
- **Surtout veillez à ne pas projeter d'insecticide sur le coffre de l'unité.**

Le coffre de l'unité centrale d'un ordinateur se nettoie avec un chiffon doux et sec. Les taches se retirent à l'aide d'un chiffon imbibé d'un peu d'eau additionnée d'un détergent doux.
On peut également détacher ordinateurs, télévisions et téléphones avec des chiffonnettes préimprégnées antibuée et antistatique pour lunettes (Eau Écarlate).

Il existe aussi des bombes à air comprimé qui volatilisent instantanément la poussière des ordinateurs.

LES DISQUES ET CD

Il faut passer dessus un chiffon antistatique

LES LUNETTES À MONTURE PLASTIQUE ET LES ÉTUIS DE LENTILLES

On les nettoie et on les stérilise en les plongeant dans l'eau bouillante pendant quelques minutes.

14

Détacher et entretenir la cuisine

Congélateur, réfrigérateur, éviers, tables de cuisson, brûleurs de cuisinières, fours, toiles cirées, sets, assiettes en faïence, casseroles, plats, carafes, vases, bouilloires, poubelles, lave-vaisselle

LE CONGÉLATEUR

On lave la carrosserie d'un congélateur avec une éponge imbibée de lessive liquide.

Si vous vous attaquez à l'intérieur de la cuve, la première chose à faire est de débrancher l'appareil. Après, vous pouvez le vider, gratter la glace avec une raclette en plastique puis laver la cuve à l'eau tiède additionnée de cristaux de soude. Rincez. Essuyez. Rebranchez.

LE RÉFRIGÉRATEUR

ATTENTION

• **Afin d'éviter tout risque d'empoisonnement, l'association des sociétés d'assurance pour la prévention en matière de santé conseille vivement d'emballer tous les aliments cuits et crus avant de les ranger dans un réfrigérateur. Un aliment peut en contaminer un autre, particulièrement les fruits.**

La carrosserie du réfrigérateur se lave avec une éponge imbibée de lessive liquide.

L'intérieur doit être lavée au moins deux fois par mois. Il faut d'abord débrancher l'appareil, le vider puis retirer clayettes, bacs et

casiers et les laver à l'eau tiède additionnée de cristaux de soude. Rincez et essuyez.

Il faut procéder de même à l'intérieur de la cuve en faisant attention à ne pas toucher le joint de caoutchouc. On le nettoiera plus tard avec une éponge imbibée d'eau. Séchez aussitôt. Rebranchez.

De l'eau javellisée (1/4 de verre d'eau de Javel par litre d'eau) désinfecte l'intérieur du réfrigérateur. Frottez. Laissez agir 5 minutes. Rincez. Séchez.

La marque Sanytol propose aussi un désinfectant pour les réfrigérateurs.

TRUCS ET ASTUCES

• **Du café moulu, un morceau de charbon de bois ou un bol de lait bouillant désodorise le réfrigérateur.**

LES ÉVIERS

Les éviers en céramique

Dégraissez-les souvent avec une poudre à récurer ou du Cif. Rincez. Séchez.

Au moins une fois par semaine, désinfectez-les en versant de l'eau de Javel à peine diluée. Brossez, rincez après 5 minutes.

Les éviers en acier inoxydable

On les nettoie à l'eau savonneuse. Un chiffon sec aura raison des traces d'eau.
Si l'évier est très terni, il faut le frotter avec un chiffon doux légèrement imprégné d'alcool à brûler. Lavez. Séchez.
Pensez à le rincer souvent à l'eau javellisée (1 verre pour 10 litres d'eau) pour le désinfecter. Laissez agir 2 à 3 minutes. Rincez abondamment puis séchez.

ASTUCES ET TRUCS

• **Votre évier ne se bouchera plus si vous versez régulièrement dans les conduits des cristaux de soude puis de l'eau bouillante.**
• **On peut désodoriser un évier en déposant sur sa grille d'évacuation 1/2 citron.**

LES TABLES DE CUISSON

Les tables de cuisson en émail

On les nettoie avec une éponge imbibée d'eau et de produit dégraissant du type Ajax ammoniaqué. Rincez et séchez.

Les tables de cuisson en acier inoxydable

On les entretient de la même façon. En cas de débordement très important, il est conseillé d'utiliser du papier absorbant. Si les résidus sont secs, faites marcher la plaque afin de les carboniser. Lavez. Séchez.

Il ne faut jamais frotter une table de cuisson en acier inoxydable avec une éponge abrasive ou du détergent en poudre. Préférez un produit spécial pour inox (Bull'Inox).

Les tables de cuisson en vitrocéramique

Les éponges abrasives ou les détergents en poudre sont à proscrire. En cas de débordement, l'eau citronnée suffit pour ôter les taches les plus récalcitrantes.

LES BRÛLEURS DE CUISINIÈRE

Les brûleurs de cuisinières retrouveront tout leur éclat si vous les faites tremper plusieurs heures dans du vinaigre blanc.

LES FOURS

Les fours à micro-ondes

Une éponge imbibée d'Ajax ammoniaqué suffit. Rincez. Séchez.
Si votre four est très encrassé, vous pouvez le dégraisser en plaçant à l'intérieur un bol d'eau additionnée d'un jus de citron. Faites marcher l'appareil pendant 3 minutes puis, avec un chiffon sec et propre, essuyez la vapeur couvrant les parois.

Les fours à pyrolyse

Programmez le nettoyage. L'opération terminée, il suffit de passer une éponge humide.

Les fours à catalyse

Les parois de ce four étant revêtues d'émail autodégraissant, il suffit de passer dessus une éponge rincée à l'eau. Les dépôts graisseux y adhéreront.

En cas d'éclaboussures à base de sucre, il est conseillé de mouiller les résidus caramélisés quand ils sont encore tièdes.

ATTENTION

• **Le revêtement émaillé du four à catalyse est assez fragile. Faites attention à ne pas le détériorer en introduisant des grilles ou des plats.**

• **Sous peine de les abîmer définitivement, ne placez jamais de papier aluminium le long des parois d'un four à catalyse, n'utilisez pas non plus d'éponge ou de poudres abrasives, et encore moins de produits décapant pour four.**

Les grilles de four

Les grilles de four se lavent très bien dans le lave-vaisselle.

ATTENTION

• **Ne mettez pas n'importe quoi dans le lave-vaisselle ! Ne faites pas comme ce collectionneur imprudent qui a voulu décrasser un superbe vase Lalique en l'introduisant dans un lave-vaisselle : la température trop chaude de l'eau a fait fondre la patine d'origine fixée avec de la gomme arabique, ainsi que sa valeur marchande...**

LE LAVE-VAISSELLE

En plus de ses qualités de lavage et de séchage, un lave-linge doit posséder un bon niveau

sonore, un programme normal à 65°, un panier amovible pour les couverts, un panier supérieur réglable en hauteur, et un système coupant l'arrêt automatique de l'arrivée d'eau en cas de fuite ou d'éclatement. Enfin doivent être facilités : l'accès du compartiment à produits, le chargement de la vaisselle et le nettoyage du filtre.

Un nettoyage de qualité s'obtient avec une bonne machine mais aussi avec un bon détergent. Il faut savoir que la poudre et les pastilles sont plus performantes que le gel.

ATTENTION

• **Bien lire les étiquettes ! Certains détergents contiennent des phosphates qui sont responsables à 25 % de l'asphyxie des rivières. Par souci d'écologie, ils sont à proscrire.**

• **Les détergents pour lave-vaisselle, à base de soude, de chlore et de peroxyde sont des produits dangereux. Il faut les tenir hors de portée des enfants.**

Un lave-vaisselle se nettoie à l'aide d'une éponge imbibée d'eau savonneuse. Les joints en plastique salis doivent être passés au chiffon imbibé d'eau javellisée. Rincez. Séchez.

LES TOILES CIRÉES

Sur une toile cirée, les taches de stylo et d'encre se retirent avec du citron, de l'alcool à 90° ou du vinaigre blanc.
Toutes les autres taches partent avec de l'essence de térébenthine.

LES SETS DE TABLE EN RAPHIA OU EN PAILLE

L'eau additionnée d'une cuillère à soupe de

gros sel donne de bons résultats sur les sets très encrassés. Le lait cru leur donne un nouvel éclat.

LES ASSIETTES EN FAÏENCE

On fait disparaître le tarte sur des assiettes en faïence avec de l'esprit de sel. Surtout n'oubliez pas d'enfiler des gants !

LES CASSEROLES

Les casseroles en émail, en fonte ou en porcelaine à feu et les cocottes

On détache toutes les casseroles brûlées, sauf celles en aluminium, en versant dedans de l'eau de Javel légèrement diluée. Laissez agir quelques heures. Lavez. Rincez.

Les casseroles en aluminium

On les empêche de noircir en versant quelques gouttes de citron dans l'eau de cuisson des légumes.

LES PLATS EN PORCELAINE À FEU

On élimine les taches brunes en faisant tremper le plat deux à trois heures dans de l'eau additionnée d'un peu de Borax. Lavez à l'eau savonneuse. Séchez.
Les produits décapant les fours donnent également de bons résultats. N'oubliez pas d'enfiler des gants !

LES CARAFES ET LES VASES

Pour éliminer le calcaire encrassant une carafe ou un vase en verre, il suffit de les remplir de vinaigre blanc dilué dans de l'eau. Le calcaire partira en quelques minutes.
Voir également chapitre 17 : « Détacher et entretenir les bibelots ».

LA BOUILLOIRE

On détartre une bouilloire avec du vinaigre d'alcool additionné d'un peu d'eau.

TRUCS ET ASTUCES
• Déposez une coquille d'huître lavée et brossée à l'intérieur de votre bouilloire et elle ne sera plus jamais encrassée par le calcaire.

LES POUBELLES ET LES VIDE-ORDURES

On les désinfecte et on les désodorise en les frottant avec une brosse imbibée d'eau javellisée (2 verres d'eau de Javel par litre d'eau). Si l'odeur de l'eau de Javel ou des solvants vous est désagréable, « Maxi-Odor » d'Avel, sans aucune adjonction d'eau de Javel, de solvant ou d'alcool, nettoie les surfaces sales et assainit tout dans la cuisine et la salle de bain, des appareils ménagers aux sanitaires en passant par les poignées de portes.

15

Détacher et entretenir la salle de bain et les toilettes

Baignoire, lavabos, éviers, robinets, rideaux de douche, brosses et peignes, toilettes

BAIGNOIRE, LAVABOS ET ÉVIERS

Baignoire, lavabos et éviers en émail

À la longue les lessives en poudre, trop abrasives, suppriment l'aspect brillant et lisse de l'émail. Il est conseillé d'éviter de les utiliser. On peut détacher les sanitaires avec une moitié de citron, de l'eau vinaigrée ou de l'eau javellisée.

Les traces de calcaire se retirent très bien avec du produit pour les W.C. Si les taches persistent, l'acide chlorhydrique les éliminera.

TRUCS ET ASTUCES
• On redonne une nouvelle jeunesse aux sanitaires en émail en passant dessus un chiffon imbibé d'eau de Javel pure ou d'essence de térébenthine.
• Les éclats des baignoires ou des lavabos en émail peuvent se masquer avec une peinture-émail à froid pour carrosserie que l'on se procure chez un revendeur d'accessoires automobiles. Il est conseillé de l'appliquer au pinceau puis de la laisser sécher.

Une à deux fois par semaine, on peut désinfecter et désodoriser les siphons et tuyauteries en versant dans les conduits d'évacuation des baignoires, lavabos ou éviers de l'eau de Javel (1 verre d'eau de Javel pour un seau d'eau). Rincez au bout de 5 minutes.

ATTENTION
• Ce traitement est à proscrire sur les tuyauteries métalliques.

Baignoire, lavabos et éviers en matière synthétique

Le vinaigre, l'eau de Javel et les poudres abrasives sont à proscrire. Il est conseillé d'utiliser de l'eau savonneuse.

LA ROBINETTERIE EN CHROME

On la nettoie avec un chiffon imbibé d'alcool à brûler et on la fait briller à l'aide d'un chiffon et de la farine.

TRUCS ET ASTUCES
• On désencrasse les filtres bouchés par le calcaire en les trempant toute une nuit dans un bocal rempli d'eau vinaigrée.
• On peut aussi déloger le calcaire en les brossant avec une brosse à dents imbibée d'ammoniaque.

LES RIDEAUX DE DOUCHE

Les rideaux de douche en matière plastique

Il est conseillé de laver les rideaux de douche avec de l'eau savonneuse.

TRUCS ET ASTUCES
• On peut assouplir des rideaux de douche en les enduisant d'une fine couche de cire au silicone.

Les rideaux de douche en nylon

On les lave soit à l'eau tiède savonneuse, soit à la machine.

Les taches de moisi
On les retire à l'aide d'une éponge imbibée d'eau de Javel et d'eau. Rincez. Séchez.

LES BROSSES À CHEVEUX ET LES PEIGNES

On les nettoie en les immergeant une dizaine de minutes dans de l'eau tiède ammoniaquée (1 litre d'eau pour 1 cuiller à soupe d'ammoniaque).

TRUCS ET ASTUCES
• Plongez votre brosse à cheveux dans de l'eau légèrement vinaigrée et elle retrouvera toute sa vigueur. N'oubliez pas de la sécher.

LES TOILETTES

On débarrasse les W.C. du calcaire en saupoudrant ses parois de gros sel et en arrosant le tout de vinaigre chaud. Laissez agir toute la nuit.
Si les taches persistent, utilisez de l'acide chlorhydrique.
On désinfecte et on désodorise les W.C. en versant sur les parois de l'eau javellisée (1 verre d'eau de Javel). Laissez agir 15 minutes puis actionnez la chasse d'eau.

ATTENTION
• Ne jamais mélanger de l'eau de Javel à un produit détartrant.

« Bactéricide » d'Avel combat non seulement la moisissure mais désinfecte les sièges des toilettes, les téléphones, les sols, les murs et le vide-ordures.

16
Détacher et entretenir le métal

Argenterie, vermeil, acier inoxydable, aluminium, bronze, cuivre, laiton, étain, fer et nickel

---

Le Tripoli est un excellent produit pour le cuivre, l'aluminium et l'étain.

Au secours des paresseux, on trouve dans les drogueries ou les grands magasins des tissus déjà imprégnés de produits pour l'entretien de l'argent, du cuivre, du bronze, du laiton, de l'étain ou de l'aluminium.

Pour l'entretien de leurs métaux, l'Assemblée nationale et le Sénat n'utilisent que « Mécano Louis XIII » d'Avel. Ce produit vient à bout de tous les métaux cuivreux, même les plus oxydés.

L'ARGENTERIE

À condition de séparer l'argenterie de l'inox, d'utiliser la même marque de poudre à laver, de liquide rinçage et de sel régénérant, et de bien vérifier que les couteaux ont été emmanchés au plomb et non à la cire, le lave-vaisselle peut parfaitement convenir aux couverts en argent massif.

On nettoie l'argent massif et le métal argenté à l'aide d'un chiffon imprégné de blanc d'Espagne. L'opération terminée, il faut rincer l'objet puis l'essuyer avec une peau de chamois.

Il est également possible de tremper les couverts ou les petits objets en argent une dizaine de minutes dans de l'eau additionnée de savon et d'ammoniaque.

TRUCS ET ASTUCES
• On évite une oxydation rapide de l'argenterie en l'enveloppant dans du papier de soie ou dans des journaux.
• L'eau de cuisson de pommes de terre est idéale pour l'argenterie. On fait bouillir des pelures de pommes de terre, on laisse refroidir l'eau, puis on plonge l'argenterie toute la nuit dedans. Le matin, il ne reste plus qu'à la sécher et la polir avec une peau de chamois.

Les taches de jaune d'œuf
On les ôte à l'aide d'un chiffon imprégné d'alcool à brûler. Il est conseillé de procéder à ce détachage avant de nettoyer l'argenterie.

Les taches sur les lames d'acier des couteaux
On les élimine avec du vinaigre chaud.

Les piqûres d'humidité
On les retire à l'aide d'une fine toile d'émeri.

Les taches de rouille
On les fait disparaître avec de l'essence de térébenthine. Ne pas oublier de laver les couteaux après cette opération.

ATTENTION

• Sous peine d'obtenir une trace noire indélébile, il ne faut jamais mettre l'argent en contact avec du Boulgomme ou un élastique.
• Le sel est également l'ennemi de l'argent.

LE VERMEIL

On nettoie le vermeil à l'eau savonneuse, puis on le sèche soigneusement. Il est conseillé de ne pas utiliser de produits décapants, qui risqueraient de faire disparaître la couche dorée qui le recouvre.
Si l'objet en vermeil est très encrassé, on peut le frotter délicatement avec un chiffon imbibé d'un mélange de blanc d'Espagne et d'huile de table.

L'ACIER INOXYDABLE

On lave l'acier inoxydable avec de l'eau savonneuse et on le sèche aussitôt. Une fois sec, on peut passer dessus un chiffon imprégné d'un mélange d'huile de table et de cendres fines de bois, de cigarette ou de farine.
On peut également utiliser une pâte à base d'eau et de bicarbonate de soude. Rincez aussitôt, puis séchez. L'opération terminée, polissez l'acier à la peau de chamois.

L'ALUMINIUM

On le lave à l'eau savonneuse. Une fois rincé à l'eau claire, il faut l'essuyer avec une peau de chamois.

LE BRONZE

On le nettoie en passant dessus du papier journal roulé en tampon imbibé d'essence. Une fois le bronze nettoyé, il faut le laver dans de l'eau savonneuse, le sécher puis le polir avec une peau de chamois. Les courageux rouleront le bronze nettoyé et séché dans la sciure de bois.

Les taches de vert-de-gris
On les élimine avec du vinaigre chaud ou du jus de citron additionné de gros sel.

TRUCS ET ASTUCES
• Pour redonner au bronze un éclat incomparable, on peut le brosser avec l'eau de cuisson, bouillie et réduite en pâte, de haricots secs ou de fèves sèches passées au tamis.

LE CUIVRE ET LE LAITON

On nettoie le cuivre vernis à l'eau savonneuse. On nettoie le cuivre non vernis en passant dessus un chiffon imbibé de vinaigre blanc saupoudré de sel fin. Surtout ne rincez pas l'objet, mais essuyez-le aussitôt.
On peut également nettoyer le cuivre en passant dessus un chiffon imbibé d'eau additionnée de lessive de soude (1/2 verre de lessive par litre) ou encore l'enduire d'une pâte composée d'1/2 volume de farine, d'1/4 de vinaigre blanc et d'1/4 de sel. Laissez agir au moins 2 heures. Rincez, puis polissez l'objet avec une peau de chamois.
On peut tout aussi bien tremper un objet en cuivre oxydé dans du vin rouge chauffé additionné de gros sel, dans de la chicorée en poudre diluée dans l'eau ou dans du coca-cola. Frottez les parties les plus oxydées. N'oubliez pas de rincer et de sécher l'objet.
Le Coca Cola fait également briller les cuivres.

TRUCS ET ASTUCES
• Il est possible de protéger le cuivre ou le laiton d'une oxydation possible en l'enduisant d'une fine couche de cire à base de silicone.

L'ÉTAIN

Il est possible de protéger l'étain en l'enduisant d'une fine couche de cire incolore, de vaseline ou de vernis cellulosique en bombe. On nettoie l'étain mat avec un chiffon imprégné d'un œuf battu en neige additionné de quelques gouttes d'eau de Javel.

La bière chaude et le savon liquide donnent également de bons résultats sur l'étain brillant, des rondelles de pommes de terre crue recouvertes de Cif aussi. Rincer puis polir à la peau de chamois.
Brillant ou mat, l'étain peut tout aussi bien se frotter au blanc d'Espagne additionné d'ammoniaque. Rincez, essuyez puis polissez à l'aide d'une peau de chamois.

TRUCS ET ASTUCES
• La peau de chamois peut être remplacée par une feuille de choux.

On rénove l'étain très encrassé en passant dessus un chiffon imbibé de pétrole.

Les taches de rouille
On élimine les taches de rouille sur l'étain à l'aide d'un chiffon imbibé d'un mélange de pétrole et d'huile de table.

LE FER

Il est possible de protéger le fer de la rouille en le recouvrant d'une fine couche d'encaustique. L'opération terminée il faut le polir au chiffon.
On rénove des outils en fer ou des clefs très encrassées en les plongeant dans du pétrole. Laissez agir 24 heures.

Les taches de rouille
On élimine les taches de rouille sur le fer en passant dessus un tampon de laine d'acier imbibé de paraffine.

Un oignon saupoudré de sucre donne également de bons résultats. Laissez agir une heure au moins.

LE NICKEL

On le nettoie en passant dessus un chiffon imprégné d'une pâte composée d'huile de table et de poudre à récurer.

17

Détacher et entretenir les bibelots

Albâtre, ambre, biscuit, corne et os, cuir, écume, écaille, émail, ivoire, nacre, faïence,

porcelaine, ébène, jouets en peluche et en plastique, vanneries, verre et cristal

L'ALBÂTRE

On nettoie l'albâtre avec un chiffon imbibé de savon de Marseille en paillette et d'eau. On frotte les taches rebelles avec un chiffon imbibé d'essence de térébenthine.

L'AMBRE

Voir chapitre 18 : « Détacher et entretenir les bijoux ».

LE BISCUIT

Le biscuit se brosse avec douceur dans de l'eau savonneuse tiède. Pour le blanchir, il est conseillé d'ajouter le jus d'un citron à l'eau de rinçage. Sécher soigneusement.

LA CORNE ET L'OS

On les nettoie en passant dessus un chiffon imbibé d'eau ammoniaquée (1 cuillerée à soupe d'ammoniaque pour 1 litre d'eau). Rincer et polir avec un chiffon de laine imbibé de quelques gouttes d'huile d'amande douce. Le blanc d'Espagne ou l'alcool à brûler don-

nent également de bons résultats sur la corne et l'os. Brosser doucement et polir avec une peau de chamois.
On blanchit l'os et la corne avec de l'eau oxygénée ou du jus de citron additionné d'une pincée de sel.

LE CUIR

Voir chapitre 12 : « Détacher et entretenir les sièges ».

À SAVOIR

- Le Tripoli s'utilise pour polir l'ivoire, l'écaille ou la nacre.
- La peau de chamois se nettoie en la trempant dans de l'eau additionnée de savon noir et de gros sel. Rincez tout d'abord à l'eau ammoniaquée, puis à l'eau claire.

L'ÉCUME

Il est conseillé de la poncer avec un chiffon humide légèrement imprégné de Cif.

L'ÉCAILLE

On détache et entretient l'écaille en la tamponnant avec un chiffon doux imbibé d'eau additionnée d'ammoniaque et de bicarbonate de soude (pour 1 litre d'eau, il faut prévoir 1 cuillerée à café d'ammoniaque et de bicarbonate de soude).

L'ÉMAIL

L'émail se frotte avec un chiffon imbibé d'eau chaude additionnée d'ammoniaque et de liquide-vaisselle.

L'essence de térébenthine additionnée de sel fin donne également de bons résultats.

L'IVOIRE

On détache et entretient l'ivoire avec de l'eau additionnée de quelques gouttes d'alcool, ou avec du bicarbonate de soude dilué dans de l'eau, ou encore avec du blanc d'Espagne dilué dans de l'eau. Rincez puis polissez avec un chiffon de soie.

On blanchit l'ivoire en passant dessus un chiffon de coton imbibé d'eau oxygénée à 10 volumes. Une exposition au soleil d'une journée accentuera l'opération.

LA NACRE

On entretient la nacre avec du savon noir ou du savon de Marseille. Rincez, séchez puis faites briller avec une goutte d'huile d'amande douce.

LA FAÏENCE ET LA PORCELAINE

Il est conseillé de passer dessus une brosse douce mouillée d'eau savonneuse. Rincez puis séchez avec un torchon en fil.

L'ÉBÈNE

On redonne son brillant à l'ébène en la frottant avec un chiffon de laine imbibé d'huile de lin.

LES JOUETS EN PELUCHE

On redonne une nouvelle jeunesse aux jouets en peluche en passant dessus la pulpe écrasée d'une pomme de terre cuite à l'eau. Laissez sécher toute la nuit. Brossez la peluche le lendemain avec une brosse en chiendent.

LES JOUETS EN PLASTIQUE

On les détache et les entretient en les lavant à l'eau savonneuse, puis on les rince en ajoutant à l'eau de rinçage quelques gouttes de glycérine.

LES VANNERIES

On les nettoie à l'eau savonneuse.

LE VERRE ET LE CRISTAL

Les vases et les carafes en verre blanc retrouvent une nouvelle jeunesse avec du détartrant pour W.C. (ne pas oublier de mettre des gants !).
Voir également chapitre 14 : « Détacher et entretenir la cuisine ».

TRUCS ET ASTUCES
• Une pâte composée de coquille d'œuf écrasée, de marc de café ou du gros sel additionné d'1/2 verre de vinaigre blanc nettoient efficacement les vases et les carafes encrassés.

Les traces d'adhésif provenant des étiquettes s'éliminent avec un chiffon imbibé d'un peu d'éther.

18
Détacher et entretenir les bijoux

Or, platine, argent, corail, turquoise, diamant, aigue-marine,
rubis, émeraude, saphir, topaze, opale, ambre, perles, jade et jais

---

Pour redonner l'éclat aux pierres précieuses et aux bijoux, il est conseillé de les nettoyer avec un chiffon imbibé d'alcool à 90° ou de les brosser doucement avec de l'eau savonneuse légèrement ammoniaquée (1 cuiller par litre). On peut également frotter les bijoux avec de la mie de pain ou du talc.

Le Ketchup ôte le vert-de-gris des bijoux fantaisie et des métaux non précieux.

L'OR ET LE PLATINE

L'eau savonneuse ou le dentifrice donnent de bons résultats sur l'or et le platine. Il faut les sécher puis les polir avec une peau de chamois. On peut également frotter l'or ou le platine avec de la mie de pain.
Un bijoux en or orné de pierreries retrouvera son éclat si vous l'immergez deux ou trois minutes, pas plus, dans de l'alcool à 90°. Frottez-le aussitôt avec un chiffon en fil.

L'ARGENT

Voir chapitre 16 : « Détacher et entretenir le métal ».
On peut nettoyer un bijou en argent encras-

sé en le frottant avec un chiffon imbibé de jus de citron. Rincez à l'eau puis essuyez.

> ### TRUCS ET ASTUCES
> • **Pour que les bijoux en argent ne noircissent plus, on peut passer dessus un pinceau imbibé d'une couche de vernis à ongles incolore.**

LE CORAIL

On détache le corail en l'immergeant quelques minutes dans 1/4 de litre d'eau additionné d'une pincée de bicarbonate. Essuyez aussitôt. L'huile d'olive additionnée d'un peu d'essence de térébenthine redonne de l'éclat au corail.

LA TURQUOISE

On nettoie la turquoise comme le corail, en la plongeant dans un bain d'eau additionnée de 2 cuillerées de bicarbonate de soude.
Rincez à l'eau tiède puis à l'eau froide, essuyez puis finissez en polissant avec un linge fin.
La turquoise verdie retrouvera sa teinte bleue si on la trempe une trentaine de minutes dans un bol contenant de l'ammoniaque pure. Rincez et essuyez.

LE DIAMANT, L'AIGUE-MARINE, LE RUBIS, L'ÉMERAUDE, LE SAPHIR ET LE TOPAZE

On les nettoie en les frottant avec une brosse à dents à poils souples imbibée d'eau et de bicarbonate de soude. Rincez puis séchez.

L'OPALE

Il ne faut surtout pas mouiller une opale mais la polir à la peau de chamois.

L'AMBRE

On nettoie l'ambre en passant dessus une peau de chamois imprégnée d'eau alcoolisée. Pour redonner à l'ambre une nouvelle jeunesse, on doit la frotter avec un chiffon de soie préalablement enduit d'huile d'amande douce. Essuyez-la avec un chiffon sec, puis polissez-la à la peau de chamois.

LES PERLES

Le parfum, l'alcool, la laque, l'eau savonneuse et surtout le chlore sont les ennemis des perles et surtout du fil des colliers de perles.
Il est conseillé de passer sur les perles une peau de chamois à peine humide.
Si vos perles sont vraiment très ternies, il faut les confier à un spécialiste. La maison Tecla possède un produit spécifique tout à fait performant impossible à trouver ailleurs dans le commerce.

LE JADE

On redonne tout son brillant à un jade terni en le plaçant au réfrigérateur.

LE JAIS

On nettoie le jais avec un chiffon imbibé de benzine. On le polit ensuite avec un chiffon de laine imprégné de quelques gouttes d'huile d'amande douce.

19
Des hôtes
indésirables

Bactéries, microbes, acariens, moisissure, blattes, cafards, fourmis, mites,
moustiques, mouches, guêpes, frelons, punaises, souris, rats et mauvaises odeurs

Grâce à ce guide nous venons d'apprendre comment détacher la maison ou le bureau il nous reste maintenant à apprendre comment nous débarrasser des microbes ou des acariens. Sachant qu'un citadin passe en moyenne seulement une heure par jour à l'extérieur, il vaut mieux, chez soi, ne pas risquer un empoisonnement ou une allergie respiratoire par manque d'hygiène.

LES BACTÉRIES ET LES MICROBES

Véritables fléaux, les bactéries et les microbes se nourrissent de nos aliments et fabriquent des substances risquant de nous empoisonner. En période d'épidémie, se trouvant en suspension dans l'air sur les sols et les surfaces, ils peuvent se transmettre d'une personne à l'autre par les mains ou par les aliments. Après élimination de la poussière, le nettoyage et l'aération des pièces, on les combat à l'aide d'un désinfectant et d'un shampooing-moquette adapté.

LES ACARIENS

Les acariens, araignées invisibles, petits parasites d'une taille avoisinant à peine 1/3 de mm, sont invisibles à l'œil nu.

Connus pour leurs propriétés allergisantes, vivant dans la poussière, ils se multiplient dans les tapis, la moquette, les tissus, les rideaux et la literie.

Ils sont à l'origine de démangeaisons, de certains eczémas, d'asthmes, de conjonctivites, de rhinites ou de toux spasmodiques.

Les produits nettoyants classiques n'éliminant qu'une partie de la saleté, du fait de leur résistance aux nettoyants usuels, la lutte anti-acariens nécessite un traitement adapté.

En cas d'allergie aux acariens, en plus de l'utilisation d'un produit acaricide, l'Association des sociétés d'assurance pour la prévention en matière de santé préconise d'aérer régulièrement la pièce, de passer régulièrement l'aspirateur, d'éliminer toutes sources d'humidité, de retirer de la chambre à coucher moquette, tapis et doubles rideaux, et de placer autour de l'oreiller et du matelas une housse anti-acariens.

LA MOISISSURE

Les moisissures, champignons issus de germes responsables des mycoses, prolifèrent dans l'eau et laissent des traces noires tenaces sur les joints des sanitaires, de la cuisine, des carrelages et des fenêtres. Très difficiles à éliminer, ils détériorent à la longue les matériaux.

On les désincruste à l'aide d'eau de Javel ou d'eau oxygénée à 10 volumes.
« Antimoisissure » Canard de Johnson ou « Sanytol Antimoisissures » peuvent également vous aider à combattre la moisissure.

LES BLATTES ET LES CAFARDS

Insectes nocturnes, les cafards et les blattes, friands d'humidité et de chaleur, s'installent de préférence dans la cuisine où ils s'attaquent aux provisions, transportant des germes de maladies et contaminant les aliments. De plus, les débris de leurs corps, en pénétrant dans nos voies respiratoires, peuvent provoquer des troubles allergiques.

> **TRUCS ET ASTUCES**
> • Si vous n'aimez pas les insecticides vous pouvez toujours essayer de vous en débarrasser en plaçant un linge humide sur leur lieu de passage la nuit. Le lendemain matin, vous n'aurez qu'à ramasser linge et insectes et à les brûler.

LES FOURMIS

On les trouve surtout près des portes, des fenêtres ou dans la cuisine. Dotées d'un bon appétit, elles se nourrissent de presque tout, pouvant transmettre de nombreux germes. Elles n'entreront plus dans la maison si vous placez sur leur chemin une soucoupe remplie d'eau de Javel, de marc de café ou de rondelles de citron.

LES MITES

Elles s'installent dans les vêtements, les fourrures, les lainages, les oreillers, les matelas, les coussins, le velours et les tapis. Adultes, ce sont des petits papillons blancs inoffensifs. En revanche, leurs larves coupent les fibres textiles pour s'en faire un cocon et se nourrir. Le camphre et l'essence de serpolet les éloignent.

LES MOUSTIQUES

Les moustiques vivent dans le sillage des hommes et des animaux à la recherche de sang. Si les mâles sont totalement inoffensifs, les femelles piquent, risquant, d'une personne à l'autre, de transporter des germes de maladie.

> **TRUCS ET ASTUCES**
> • Mieux que la citronnelle, peu efficace, l'essence de térébenthine ou l'ammoniaque dans une soucoupe et des géraniums devant les fenêtres les feront fuir.

Chez Nature et Découvertes, on trouve un déodorant pour la maison qui a la particularité d'éloigner les moustiques.

LES MOUCHES

Dans les maisons, elles vivent sur les murs ou les fenêtres, à la recherche de la lumière, et près des poubelles ou des déchets des animaux, à la recherche de nourriture.
Elles peuvent transmettre des maladies et transporter des bactéries qui contaminent les aliments.
On les fait partir en mettant dans des soucoupes du vinaigre chauffé.

LES GUÊPES ET LES FRELONS

Ils bâtissent leurs nids sous les toits de la maison. Leurs piqûres sont douloureuses et peuvent provoquer de graves allergies.
Guêpes et frelons seront vaincus par des feuilles de tomates, à condition de les changer dès qu'elles sont sèches.

LES PUNAISES

Elles s'installent dans les fentes, les rainures, les crevasses des murs, les joints de meubles et derrière les tableaux et papiers peints. Un bon entretien de la maison aura raison d'elles.

LES SOURIS ET LES RATS

Ils s'attaquent aux aliments, trouent les cloisons, rongent le papier et les textiles pour s'en faire un nid.
S'ils s'incrustent chez vous, il faut faire appel au service dératisation de la mairie, à une entreprise spécialisée ou… à un chat.

TRUCS ET ASTUCES

• On peut également se débarrasser des rats et des souris en saupoudrant la maison de poivre ou en posant un peu partout des citrons coupés moisis. Il paraît qu'ils détestent ces odeurs.

Johnson fournit de bons produits adaptés à la destruction des insectes volants et rampants. Leur gamme OFF est particulièrement performante contre les moustiques.
Les spirales, les émanateurs et les aérosols Kapo donnent également de bons résultats.
« Biokill » de Viatick, vivement conseillé pour la protection des emplacements occupés par les chiens ou les chats, également insecticide, est un bon produit acaricide.

La marque Sanytol offre également un anti-acarien et un purificateur bactéricide très efficaces pour désinfecter l'environnement d'un malade, notamment en période d'épidémie comme la grippe.

LES MAUVAISES ODEURS

Le meilleur et le moins cher déodorant se trouve en pharmacie : c'est le papier d'Arménie, qu'on brûle plié en accordéon dans une soucoupe.

L'odeur de peinture dans la maison

Elle se volatilise si l'on place dans les pièces fraîchement repeintes des soucoupes pleines de lait chaud.

L'odeur de Javel sur les mains

On l'élimine en les trempant dans du vinaigre pur.

L'odeur d'oignon sur les mains

Elle disparaît quand on frotte ses mains dans du gros sel.

L'odeur du poisson sur les mains

On la fait disparaître en passant sur ses mains la moitié d'un citron.

Table des matières

Achevé d'imprimer en octobre 1996
Imprimé en Italie par Milanostampa